Syngué sabour

Atiq Rahimi

Syngué sabour

Pierre de patience

P.O.L
33, rue Saint-André-des-Arts, Paris 6e

© P.O.L éditeur, 2008
ISBN : 978-2-84682-277-0
www.pol-editeur.fr

Ce récit, écrit à la mémoire de N.A.
– poétesse afghane sauvagement assassinée
par son mari –, est dédié à M.D.

*Du corps par le corps avec le corps
depuis le corps et jusqu'au corps.*

Antonin Artaud

Quelque part en Afghanistan ou ailleurs

La chambre est petite. Rectangulaire. Elle est étouffante malgré ses murs clairs, couleur cyan, et ses deux rideaux aux motifs d'oiseaux migrateurs figés dans leur élan sur un ciel jaune et bleu. Troués çà et là, ils laissent pénétrer les rayons du soleil pour finir sur les rayures éteintes d'un kilim. Au fond de la chambre, il y a un autre rideau. Vert. Sans motif aucun. Il cache une porte condamnée. Ou un débarras.

La chambre est vide. Vide de tout ornement. Sauf sur le mur qui sépare les deux fenêtres où on a accroché un petit kandjar et, au-dessus du kandjar, une photo, celle d'un homme moustachu. Il a peut-être trente ans. Cheveux bouclés. Visage carré, tenu entre parenthèses par deux favoris, taillés avec soin. Ses yeux noirs brillent. Ils sont petits, séparés par un nez en bec d'aigle. L'homme ne rit pas, cependant il a l'air de quelqu'un qui refrène son rire. Cela lui donne une mine étrange, celle d'un homme qui, de l'intérieur, se moque de celui qui le regarde. La photo est en noir et blanc, coloriée artisanalement avec des teintes fades.

Face à cette photo, au pied d'un mur, le même homme, plus âgé maintenant, est allongé sur un matelas rouge à même le sol. Il porte une barbe. Poivre et sel. Il a maigri. Trop. Il ne lui reste que la peau. Pâle. Pleine de rides. Son nez ressemble de plus en plus au bec d'un aigle. Il ne rit toujours pas. Et il a encore cet étrange air moqueur. Sa bouche est entrouverte. Ses yeux, encore plus petits, sont enfoncés dans leurs orbites. Son regard est accroché au plafond, parmi les poutres apparentes, noircies et pourrissantes. Ses bras, inertes, sont étendus le long de son corps. Sous sa peau diaphane, ses veines comme des vers essoufflés s'entrelacent avec les os saillants de sa carcasse. Au poignet gauche, il porte une montre mécanique, et à l'annulaire une alliance en or. Dans le creux de son bras droit, un cathéter perfuse un liquide incolore provenant d'une poche en plastique suspendue au mur, juste au-dessus de sa tête. Le reste de son corps est couvert par une longue chemise bleue, brodée au col et aux manches. Ses jambes, raides comme deux piquets, sont enfouies sous un drap blanc, sale.

Oscillant au rythme de sa respiration, une main, celle d'une femme, est posée sur sa poitrine, au-dessus de son cœur. La femme est assise. Les jambes pliées et encastrées dans sa poitrine. La tête blottie entre les genoux. Ses cheveux noirs, très noirs, et longs, couvrent ses épaules ballantes, suivant le mouvement régulier de son bras.

Dans l'autre main, celle de gauche, elle tient un long chapelet noir. Elle l'égrène. Silencieusement. Lentement. À la même cadence que ses épaules. Ou à la même cadence que la respiration de l'homme. Son corps est enveloppé dans une robe longue. Pourpre. Ornée, au bout des manches, comme au bas de la robe, de quelques motifs discrets d'épis et fleurs de blé.

À portée de la main, ouvert à la page de garde et déposé sur un oreiller de velours, un livre, le Coran.

Une petite fille pleure. Elle n'est pas dans cette pièce. Elle peut être dans la chambre d'à côté. Ou dans le couloir.

La tête de la femme bouge. Lasse. Elle quitte le creux de ses genoux.

La femme est belle. Juste à l'angle de son œil gauche, une petite cicatrice, rétrécissant légèrement le coin des paupières, lui donne une étrange inquiétude dans le regard. Ses lèvres charnues, sèches et pâles, marmonnent doucement et lentement un même mot de prière.

Une deuxième petite fille pleure. Elle semble être plus proche que l'autre, derrière la porte, sans doute.

La femme retire sa main de la poitrine de l'homme. Elle se lève et quitte la pièce. Son absence ne change rien. L'homme ne bouge toujours pas. Il continue à respirer silencieusement, lentement.

Le bruit des pas de la femme fait taire les deux enfants. Elle reste auprès d'elles un long moment, jusqu'à ce que la maison, le monde se résolvent en ombres dans leur sommeil ; puis elle revient. Dans une main, un petit flacon blanc, dans l'autre, le chapelet noir. Elle s'assied à côté de l'homme, ouvre le flacon, se penche pour lui instiller deux gouttes de collyre dans l'œil droit, deux gouttes dans l'œil gauche. Sans relâcher son chapelet. Sans cesser de l'égrener.

Les rayons du soleil, passant à travers les trous du ciel jaune et bleu du rideau, caressent le dos de la femme, ainsi que ses épaules qui oscillent toujours régulièrement, à la même cadence que le passage des grains du chapelet entre ses doigts.

Loin, quelque part dans la ville, l'explosion d'une bombe. Violente, elle détruit peut-être quelques maisons, quelques rêves. On riposte. Les répliques lacèrent le silence pesant de midi, font vibrer les vitres, mais ne réveillent pas les enfants. Elles immobilisent pour un instant – juste deux grains du chapelet – les épaules de la femme. Elle met le flacon de collyre dans sa poche. « *Al-Qahhâr* », murmure-t-elle. « *Al-Qahhâr* », répète-t-elle. Elle le répète à chaque respiration de l'homme. Et à chaque mot, elle fait glisser entre ses doigts un grain du chapelet.

Un tour de chapelet s'achève. Quatre-vingt-dix-neuf grains. Quatre-vingt-dix-neuf fois « *Al-Qahhâr* ».

Elle se redresse pour reprendre sa place sur le matelas, contre la tête de l'homme, et remet la main droite sur sa poitrine. Elle recommence un tour de chapelet.

Lorsqu'elle atteint encore une fois le quatre-vingt-dix-neuvième « *Al-Qahhâr* », sa main quitte la poitrine de l'homme et se déplace vers le cou. Ses doigts se perdent d'abord dans la barbe drue, y restent un souffle ou deux. Ils resurgissent ensuite pour s'étendre sur les lèvres, caresser le nez, les yeux, le front, et disparaître de nouveau dans l'épaisseur des cheveux crasseux, enfin. « Tu sens ma main ? » Corps brisé, penché sur lui, elle fixe ses yeux. Aucun signe. Tend l'oreille vers ses lèvres. Aucun son. Il a toujours cet air hagard : bouche entrouverte, regard perdu dans les poutres sombres du plafond.

Elle se baisse encore pour chuchoter : « Au nom d'Allah, fais-moi signe pour me dire que tu sens ma main, que tu vis, que tu reviens à moi, à nous ! Juste un signe, un petit signe pour me donner de la force, de la foi. » Ses lèvres tremblent. Elles supplient : « Juste un mot... », glissent et effleurent l'oreille de l'homme. « J'espère au moins que tu m'entends. » Sa tête se pose sur l'oreiller.

« On m'avait dit qu'au bout de deux semaines tu pourrais bouger, faire des signes... Mais nous voilà à la troisième semaine... ou presque. Toujours rien ! » Son corps se retourne pour se mettre sur le dos. Son regard s'égare là où celui de l'homme s'est égaré, quelque part entre les poutres noires et pourrissantes.

« *Al-Qahhâr, Al-Qahhâr, Al-Qahhâr...* »

La femme se redresse lentement. Fixe l'homme désespérément. Elle pose de nouveau la main sur sa poitrine. « Si tu arrives à respirer, tu peux donc retenir ton souffle, n'est-ce pas ? Retiens-le ! » Repoussant ses cheveux derrière la nuque, elle insiste : « Retiens-le juste une fois ! » et tend à nouveau son oreille vers sa bouche. Elle l'écoute. Elle l'entend. Il respire.

Perdue, elle grommelle : « Je n'en peux plus. »

Après un soupir exaspéré, elle se lève subitement, et répète en haussant la voix : « Je n'en peux plus... » Abattue. « Du matin au soir, réciter sans arrêt les noms de Dieu, je n'en peux plus ! » Elle s'avance de quelques pas vers la photo, ne la regarde pas, « cela fait seize jours... », hésite, « non... » et compte sur ses doigts incertains.

Confuse, elle se retourne, revient à sa place pour jeter un regard sur la page ouverte du Coran. Elle vérifie. « Seize jours... aujourd'hui c'est le seizième nom de Dieu que je dois citer. *Al-Qahhâr*, le Dominateur. Voilà, c'est bien ça, le seizième nom... » Pensive. « Seize jours ! » Elle recule. « Seize jours que je vis au rythme de ton souffle. » Agressive. « Seize jours que je respire avec toi. » Elle fixe l'homme. « Je respire comme toi, regarde ! » Elle aspire l'air profondément, puis l'expire douloureusement. Au même rythme que lui. « Même si je n'ai pas la main sur ta poitrine, je peux maintenant respirer comme toi. » Elle se courbe vers lui. « Et même si je ne suis pas à tes côtés, je respire au même rythme que toi. » Elle s'écarte de lui. « Tu m'entends ? » Elle lance des cris : « *Al-Qahhâr* », et recommence à égrener le chapelet. Toujours à la même cadence. Elle sort de la pièce. On l'entend : « *Al-Qahhâr, Al-Qahhâr...* » dans le couloir et ailleurs...

« *Al-Qahhâr...* » s'éloigne.

« *Al-Qahhâr...* » devient faible.

« *Al...* » imperceptible.

Disparaît.

Quelques instants s'écoulent dans le silence. Puis « *Al-Qahhâr* » revient résonner contre la fenêtre, dans le couloir, derrière la porte. La femme rentre dans la pièce et s'arrête près de l'homme. Debout. Sa main gauche égrène toujours le chapelet noir. « Je peux même te dire qu'en mon absence, tu as respiré trente-trois fois. » Elle s'accroupit. « Et même là, en ce moment, lorsque je te parle, je peux compter tes souffles. » Elle lève le chapelet pour le tenir dans le champ incertain du regard de l'homme. « Voilà, depuis mon arrivée, tu as respiré sept fois. » Elle s'assoit sur le kilim et continue : « Mes journées, je ne les divise plus en heures, et les heures en minutes, et les minutes en secondes... une journée pour moi égale quatre-vingt-dix-neuf tours de chapelet ! » Son regard se fige sur le bracelet-montre usé qui maintient les os du poignet de l'homme. « Je peux même te dire qu'il reste cinq tours de chapelet avant que le mollah fasse son appel à la prière de midi et prêche les hadith. » Un instant. Elle calcule. « Au vingtième tour, le porteur

21

d'eau frappera à la porte des voisins. Comme d'habitude, la vieille voisine à la toux rauque sortira pour lui ouvrir la porte. Au trentième, un garçon traversera la rue sur son vélo en sifflant l'air de *Laïli, Laïli, Laïli djân, djân, djân, tu m'as brisé le cœur...* pour la fille de notre voisin... » Elle rit. Un rire triste. « Et lorsque j'arriverai au soixante-douzième tour, ce crétin de mollah viendra te rendre visite et, comme toujours, me fera des reproches, parce que, dira-t-il, je ne me suis pas bien occupée de toi, je n'ai pas suivi ses instructions, j'ai négligé les prières... Sinon tu guérirais ! » Elle passe sa main sur le bras de l'homme. « Mais toi, tu es témoin. Tu sais que je ne vis que pour toi, auprès de toi, avec ton souffle ! » Elle récrimine : « C'est tellement facile de dire qu'il faut réciter quatre-vingt-dix-neuf fois par jour l'un des quatre-vingt-dix-neuf noms de Dieu... Et cela pendant quatre-vingt-dix-neuf jours ! Mais ce crétin de mollah ne sait pas que ce que c'est d'être seule avec un homme qui... », elle ne trouve pas le mot, ou n'ose pas le dire, « ...d'être toute seule avec deux petites filles ! » maugrée-t-elle en sourdine.

Un long silence. Presque cinq tours de chapelet. Cinq tours durant lesquels la femme reste collée contre le mur, les yeux fermés. C'est l'appel à la prière de midi qui l'arrache de sa torpeur. Elle prend le petit tapis, le déplie et l'étale par terre. Entame la prière.

La prière faite, elle reste assise sur le tapis, pour écouter le mollah prêchant les hadith sur le jour de la semaine : « … et aujourd'hui est un jour de sang, car c'est au cours d'un mardi qu'Ève a perdu, pour la première fois, du sang pourri, que l'un des fils d'Adam a tué son frère, qu'on a tué Grégoire, Zacharie et Yahya – que la paix soit sur eux –, ainsi que les sorciers de Pharaon, Assaya Bent Muzahim, l'épouse de Pharaon, et la génisse des enfants d'Israël… »

Elle regarde lentement autour d'elle. La pièce. Son homme. Ce corps dans le vide. Ce corps vide.
L'inquiétude envahit son regard. Elle se lève, replie le tapis, le remet à sa place, dans l'angle de la chambre, et s'en va.

Quelques instants plus tard, elle revient vérifier le niveau de sérum dans la poche de perfusion. Il en reste peu. Elle fixe du regard le stilligoutte, observe les intervalles entre les gouttes. Ils sont courts, plus courts que ceux qui rythment le souffle de l'homme. Elle règle l'écoulement, attend deux gouttes, puis se retire d'un air décidé : « Je vais à la pharmacie chercher du sérum. » Mais, avant de franchir la porte, ses jambes hésitent, sa voix exhale une plainte : « J'espère qu'ils ont pu s'en procurer… » Elle quitte la chambre. On l'entend réveiller les enfants, « venez, on va sortir », et partir, suivie par les petits pas qui courent dans le couloir, la cour…

Après trois tours de chapelet, deux cent soixante-dix souffles, elles sont de retour.

La femme amène les enfants dans la pièce à côté. « Maman, j'ai faim », pleure l'une. « Pourquoi tu n'as pas acheté de la banane ?! », déplore l'autre. « Je vais vous donner du pain », console la mère.

Lorsque le soleil retire ses rais de lumière des trous du ciel jaune et bleu du rideau, la femme réapparaît au seuil de la chambre. Elle lance un long regard vers l'homme, puis s'en approche, vérifie son souffle. Il respire. La poche de perfusion s'épuise. « La pharmacie était fermée », dit-elle, et, d'un air résigné, elle attend comme si allaient venir d'autres instructions. Rien. Rien que des respirations. Elle repart pour revenir avec un verre d'eau. « Il faut faire comme la dernière fois, avec de l'eau sucrée-salée... »

D'un geste rapide et habile, elle lui enlève du bras le cathéter. Retire la seringue. Nettoie le tuyau, l'introduit dans sa bouche entrouverte, et l'enfonce jusqu'à ce qu'elle atteigne son tube digestif. Puis, elle verse le contenu du verre dans la poche de perfusion. Règle les gouttes, vérifie leur intervalle. À chaque souffle, une goutte.

Et repart.

Une dizaine de gouttes après, elle revient. Son tchadari à la main. « Il faut que j'aille voir ma tante. » Elle attend encore... la permission, peut-être. Son regard s'égare. « Je suis devenue folle ! » Nerveusement, elle se tourne et sort de la pièce. Derrière la porte, dans le couloir, sa voix, « je m'en fous... », va et revient, « de ce que tu penses d'elle... », va, « ...je l'aime, moi », revient, « il ne me reste qu'elle... mes sœurs m'ont abandonnée, tes frères aussi... », va, « ...que je la voie », revient, « il faut... », va, « ...elle t'emmerde... et moi aussi ! ». On l'entend partir avec ses deux enfants.

Leur absence dure trois mille neuf cent soixante souffles de l'homme. Trois mille neuf cent

soixante souffles au cours desquels rien d'autre
n'arrive que les faits prédits par la femme : le porteur d'eau frappe à la porte du voisin. Une femme
à la toux rauque lui ouvre la porte... Quelques respirations plus tard, un garçon traverse la rue sur
son vélo en sifflant l'air de « *Laïli, Laïli, Laïli djân,
djân, djân, tu m'as brisé le cœur...* ».

Elles rentrent donc, elle et ses deux enfants.
Elle les laisse dans le couloir. D'un geste sec, elle
ouvre la porte. Son homme est toujours là. Même
posture. Même rythme de respiration. Elle, elle est
toute pâle. Plus que lui encore. Elle s'appuie
contre le mur. Après un long silence, elle gémit :
« Ma tante... elle a quitté la maison... elle est partie ! » Adossée au mur, elle se laisse glisser par
terre. « Elle est partie... où ? Personne ne le sait...
je n'ai plus personne... personne ! » Sa voix
tremble. Sa gorge se noue. Ses larmes coulent.
« Elle ignore ce qui m'est arrivé... elle ne savait
pas ! Sinon, elle m'aurait laissé un message, elle
aurait couru à mon secours... elle te déteste, c'est
sûr, mais elle m'aime... elle aime les enfants...
mais toi... » Le sanglot lui vole la voix. Elle
s'écarte du mur, ferme les yeux, respire profondément pour dire un mot. Elle n'y arrive pas. Le mot

doit être lourd, lourd de sens, lourd à écraser sa voix. Elle le garde alors au fond d'elle, et cherche autre chose de léger, doux, facile à énoncer : « Et toi, tu savais que tu avais une femme et deux filles ! » Elle se frappe sur le ventre. Une fois. Deux fois. Comme pour expulser ce mot lourd qui s'est enfoui dans ses tripes. Elle s'accroupit et crie : « Est-ce que tu pensais un moment à nous lorsque tu épaulais ta putain de Kalachnikov ? Fils de... », réprimant encore le mot.

Un instant, elle reste inerte. Ses yeux se referment. Sa tête se baisse. Elle geint douloureusement. Longuement. Ses épaules bougent toujours au rythme de la respiration. Sept souffles.

Sept souffles, et elle relève la tête, s'essuie les yeux avec sa manche aux motifs d'épis et fleurs de blé. Après un long regard, elle s'approche de l'homme, se penche vers son visage et demande « pardon », lui caressant le bras. « Je suis fatiguée. Je suis à bout de forces », chuchote-t-elle. « Ne me laisse pas toute seule, je n'ai que toi. » Élève la voix : « Sans toi, je ne suis plus rien. Pense à tes filles ! qu'est-ce que je vais faire avec elles ? elles sont si petites... » Elle cesse de le caresser.

Au-dehors, quelque part, pas très loin, quelqu'un tire une balle. Un autre, plus proche, riposte. Le premier tire une deuxième balle. L'autre ne répond plus.

« Le mollah ne viendra pas aujourd'hui », dit-elle avec un certain soulagement. « Il a peur des balles perdues. Il est aussi lâche que tes frères. » Elle se lève et fait quelques pas. « Vous, les hommes, vous êtes tous des lâches ! » Elle revient. Sombre, son regard fixe l'homme. « Où sont tes frères qui étaient si fiers de te voir te battre contre leurs ennemis ? » Deux souffles et son silence empli de rage. « Les lâches ! » expire-t-elle. « Ils devraient s'occuper de tes enfants, de moi – de ton honneur, de leur honneur –, non ? Où est ta mère qui répétait sans cesse qu'elle se sacrifierait pour une mèche de tes cheveux !? Elle n'a jamais voulu admettre que son fils, ce héros qui s'était battu sur tous les fronts, contre tous les ennemis, ait pu recevoir une balle juste dans une bagarre minable avec un type – de son propre camp, d'ailleurs –, qui avait dit : *je crache dans la chatte de ta mère !* Juste pour une insulte ! » S'avance d'un pas. « C'est si ridicule, si absurde ! » Son regard erre dans la pièce, puis, lourdement, se pose sur lui qui, peut-être, l'entend poursuivre : « Tu sais… ta famille, avant de quitter la ville, ce qu'ils m'ont dit ? qu'ils ne pouvaient s'occuper ni de ta femme ni de tes enfants… que tu le saches : ils t'ont abandonné. Ils n'en ont rien à foutre de ton état, de ton malheur, de ton honneur !… ils nous ont délaissés… », crie-t-elle. « Nous, moi ! » Elle lève vers le plafond la main au chapelet, et implore : « Allah, aide-moi !… *Al-Qahhâr, Al-Qahhâr*… » Et pleure.

Un tour de chapelet.

Abattue, elle balbutie : « Je… je deviens… je suis… folle », renverse la tête en arrière, « pourquoi lui dire tout cela ? je deviens folle. Coupe ma langue, Allah ! que la terre engorge ma bouche ! », couvre son visage, « Allah, protège-moi, je m'égare, montre-moi le chemin ! ».
Aucune voix.
Aucune voie.
Sa main se perd dans les cheveux de son homme. De sa gorge sèche émergent ses mots suppliants : « Reviens, je t'en supplie, avant que je ne perde la raison. Reviens, rien que pour tes enfants… » Elle relève la tête. À travers les larmes,

son regard se fige dans la même direction incertaine que celui de l'homme. « Dieu, fais qu'il revienne à la vie ! » Sa voix devient grave. « Pourtant, il s'est battu longtemps en ton nom. Pour le Djihad ! » Elle s'arrête, puis reprend : « Et toi, tu le laisses comme ça ?! Et ses enfants ? Et moi ? tu ne peux pas, non, tu n'as pas le droit de nous laisser comme ça, sans homme ! » Sa main gauche, celle qui tient le chapelet, tire le Coran vers elle. Sa rage cherche sa voix dans sa gorge. « Montre-nous que tu existes, fais qu'il revienne à la vie ! » Elle ouvre le Coran. Son doigt parcourt les noms de Dieu qui figurent sur la page de garde. « Je te jure que je ne le laisserai plus jamais partir se battre comme un pauvre connard. Même en ton nom ! Il sera à moi, ici, avec moi. » Un sanglot lui noue la gorge, et ne laisse sortir qu'un cri étouffé : « *Al-Qahhâr.* » Elle commence de nouveau à égrener le chapelet. « *Al-Qahhâr...* » Quatre-vingt-dix-neuf fois « *Al-Qahhâr* ».

La chambre s'assombrit.

« Maman, j'ai peur. Il fait tout noir. » La voix de l'une des filles geint dans le couloir, derrière la porte. La femme se lève pour quitter la pièce.

« N'aie pas peur, ma fille. Je suis là.

– Pourquoi tu cries ? Ça me fait peur, maman »,
pleure l'enfant. « Je ne criais pas. Je parlais avec ton
père », rassure la mère. Elles s'éloignent de la porte.
« Pourquoi tu appelles mon père *Al-Qahhâr* ? Il est
fâché ?

– Non, il sera fâché si on le dérange. »

La petite se tait.

La nuit tombe complètement.

Et, comme l'avait prédit la femme, le mollah
n'est pas venu.

Elle revient avec une lampe-tempête. Elle la
dépose par terre près de la tête de l'homme, et
sort de sa poche le flacon de collyre. Elle lui verse
délicatement des gouttes dans les yeux. Une,
deux. Une, deux. Puis elle quitte la chambre pour
revenir avec un drap et une petite bassine en plastique. Elle enlève le linge sale qui cache les jambes
de l'homme. Elle lui nettoie le ventre, les pieds, le
sexe. La toilette faite, elle recouvre son homme
avec un drap propre, vérifie les intervalles entre
les gouttes d'eau sucrée-salée et repart avec la
lampe.

Tout redevient sombre. Longtemps.

À l'aube, lorsque la voix éraillée du mollah appelle les fidèles à la prière, le bruit de pas traînants se fait entendre dans le couloir de la maison, s'approche de la pièce, s'en éloigne et revient. La porte s'ouvre. Entre la femme. Elle regarde l'homme. Son homme. Il est toujours là, dans la même position. Cependant ses yeux l'intriguent. Elle fait un pas en avant. Il a les yeux fermés. La femme s'approche encore de lui. Un pas. Sans bruit. Puis, deux pas. Elle le regarde. Elle ne distingue rien. Elle doute. À reculons, elle quitte la chambre. En moins de cinq souffles, elle revient avec la lampe-tempête. Lui a toujours les yeux fermés. Elle se laisse choir à terre. « Tu dors ?! » Sa main, tremblante, se pose sur la poitrine de l'homme. Il respire. « Oui... tu dors ! » crie-t-elle. Son regard cherche quelqu'un dans la pièce pour le dire encore : « Il dort ! »

C'est le vide. Elle a peur.

Elle prend le petit tapis, le déplie et l'étale par terre. La prière du matin faite, elle demeure assise, prend le Coran, l'ouvre à la page marquée d'une plume de paon qu'elle enlève et garde dans sa main droite. Avec sa main gauche, elle égrène le chapelet.

Après la lecture de quelques versets, elle glisse la plume, referme le Coran, et reste encore un instant pensive, absorbée par cette plume qui dépasse du livre sacré. Elle la caresse d'abord tristement, puis nerveusement.

Elle se lève, range le tapis et va vers la porte. Avant de la franchir, elle s'arrête. Se retourne. Retourne à sa place auprès de l'homme. D'une main hésitante elle lui ouvre un œil. Puis l'autre. Elle attend. Ses yeux ne se referment plus. La femme prend le flacon de collyre et lui instille quelques gouttes dans les yeux. Une, deux. Une, deux. Vérifie la poche de perfusion. Il y a encore de l'eau sucrée-salée.

Avant de se redresser, elle marque un arrêt et pose son regard inquiet sur l'homme, lui demandant : « Est-ce que tu peux encore fermer les yeux ? » Le regard absent de l'homme ne lui répond pas. Elle insiste : « Si, tu peux ! Fais-le encore une fois ! » et attend. Vainement.

Soucieuse, elle glisse délicatement sa main sous la nuque de l'homme. Une sensation, une angoisse, fait frémir son bras. Elle ferme les yeux, serre les dents. Inspire profondément. Douloureusement. Elle souffre. En expirant, elle retire sa main et, sous la faible lumière de la lampe, examine le bout de ses doigts tremblants. Ils sont secs. Elle se relève pour mettre l'homme sur le côté. Approche la lampe vers sa nuque pour examiner une petite plaie toujours ouverte, livide, vidée de son sang, mais pas encore cicatrisée.

La femme retient son souffle et appuie sur la blessure. L'homme ne réagit toujours pas. Elle appuie encore plus fort. Aucune plainte. Ni dans les yeux ni dans le souffle. « Tu ne souffres même pas ?! » Elle remet l'homme sur le dos, se penche sur lui pour le regarder dans les yeux. « Tu ne souffres jamais ! tu n'as jamais souffert, jamais ! » exhale-t-elle. « Je n'ai jamais entendu qu'un homme pouvait vivre avec une balle dans la nuque ! tu ne saignes même pas, aucun pus, aucune douleur, aucune souffrance ! *C'est un miracle !* disait ta mère… quel maudit miracle ! » Elle se lève. « Même blessé, tu es épargné par la souffrance. » Sa voix grince dans sa gorge nouée. « Et c'est à moi d'en pâtir ! c'est à moi d'en pleurer ! » Cela dit, elle se dirige vers la porte. Larmes et colère aux yeux, elle disparaît dans l'obscurité du couloir, tandis que la lampe-tempête fait frémir l'ombre de l'homme sur le mur, jusqu'à ce que le jour se lève pleinement, et que les rayons du soleil pénètrent par les trous du ciel jaune et bleu du rideau pour condamner la lampe à l'incertitude.

Une main hésite à ouvrir la porte de la chambre. Ou elle n'y parvient pas. « Papa ! » La voix de l'une des enfants domine le grincement de la porte. « Où vas-tu ? » Au cri de la femme, l'enfant tire la porte et s'en éloigne. « Ma chérie, ne dérange pas ton père. Il est malade. Il dort. Viens avec moi ! » Les petits pas courent dans le couloir. « Et toi, quand tu y vas, quand tu cries, tu ne le déranges pas ? » demande l'enfant. Sa mère lui répond : « Si. » Silence.

Une mouche s'invite dans l'ambiance muette de la pièce. Elle se pose sur le front de l'homme. Hésitante. Incertaine. Elle erre sur ses rides, lèche sa peau sans goût. Sans doute sans goût.

Elle descend dans le coin de son œil. Toujours hésitante. Toujours incertaine. Elle goûte le blanc de l'œil, puis se retire. Rien ne la chasse. Elle continue son chemin, se perd dans la barbe, grimpe sur le nez. S'envole. Explore le corps. Revient. Se pose de nouveau sur le visage.

S'agrippe au tube enfoui dans cette bouche entrouverte. Elle le lèche, le longe jusqu'à la commissure des lèvres. Pas de bave. Pas de goût. Elle s'avance, pénètre dans la bouche. Et s'y engouffre.

La lampe-tempête exhale vainement ses derniers souffles. Sa flamme s'éteint. Rentre la femme. Une profonde lassitude s'empare d'elle – de son être, de son corps. Après quelques pas languissants vers son homme, elle s'arrête. Plus irrésolue que la veille. Son regard s'attarde désespérément sur le corps inerte. Elle s'assied entre l'homme et le Coran qu'elle ouvre à la page de garde. Son doigt touche un à un les noms de Dieu. Les compte. S'arrête sur le dix-septième nom. « *Al-Wahhâb*, le Donateur », murmure-t-elle. Un sourire d'amertume plisse le coin de ses lèvres. « Je n'ai pas besoin d'un don », et elle attrape le bout de la plume de paon qui dépasse du Coran. « Je n'ai plus le courage de réciter les noms de Dieu. » Elle se caresse les lèvres avec la plume. « Dieu soit loué... il te sauvera. Sans moi. Sans mes prières... il le doit. »

Des coups à la porte condamnent la femme au silence. « Ça doit être le mollah. » Aucune envie d'aller ouvrir. On frappe de nouveau. Elle hésite.

On insiste. Elle quitte la pièce. Ses pas bruissent jusqu'à la rue. Elle parle avec quelqu'un. Ses mots se perdent dans la cour, derrière les vitres.

Une main pousse craintivement la porte de la chambre. L'une des petites filles entre. Visage doux sous une tignasse sauvage. Menue. Ses petits yeux fixent l'homme. « Papa ! » lance-t-elle ; et, timidement, elle s'avance. « Papa, tu dors ? Qu'est-ce que tu as dans la bouche ? », montrant du doigt le tuyau de la perfusion. Elle s'arrête près de son père, hésite à lui poser la main sur la joue. « Mais tu ne dors pas ! » crie-t-elle. « Pour- quoi maman répète tout le temps que tu dors ? Maman dit que tu es malade. Elle ne me laisse pas entrer ici et te parler... mais elle, elle te parle tout le temps. » Elle veut s'asseoir près de lui, mais le cri de sa sœur, coincée dans l'entrebâille- ment de la porte, la retient. « Tais-toi ! » lui crie-t- elle en prenant l'air de sa mère, et elle court vers la petite. « Viens avec moi ! » lui dit-elle, la traî- nant par la main auprès de leur père. Après un bref regard dubitatif, la plus jeune grimpe sur la poitrine de son père et tire à hue et à dia sur sa barbe. L'autre s'exclame avec entrain : « Allez, papa, parle ! », se penche vers sa bouche, et touche le tuyau. « Enlève ce truc! et parle! » Elle enlève le tube dans l'espoir d'entendre une parole. Aucune. Rien que des souffles. Lents et profonds. Elle fixe la bouche entrouverte du père. Curieuse, sa petite main s'enfourne dedans et en extrait la mouche. « Une mouche! » crie-t-elle, et, d'un air dégoûté, elle la jette à terre. La plus jeune rit et pose sa joue crevassée sur la poitrine de son père.

La mère entre. Affolée, elle hurle : « Mais qu'est-ce que vous faites ?! », se rue vers les gamines, « Sortez! venez! », et les tire par les bras. « Une mouche! papa mange une mouche! » crient les filles presque en même temps. « Taisez-vous! » leur ordonne la mère.

Elles quittent la pièce.

La mouche, noyée dans la salive, se débat sur le kilim.

La femme revient dans la chambre. Avant d'enfoncer de nouveau le tuyau dans la bouche de l'homme, elle jette un regard inquiet et curieux. « La mouche ?! » N'apercevant rien, elle replace le tube et s'en va.

Plus tard, elle revient pour verser de l'eau sucrée-salée dans la poche de perfusion, et instiller les gouttes de collyre dans les yeux de l'homme.

La tâche achevée, elle ne reste pas auprès de son homme.

Elle ne met plus sa main droite sur la poitrine de son homme.

Elle n'égrène plus le chapelet noir au rythme de la respiration de son homme.

Elle s'en va.

Elle ne repasse qu'avec l'appel à la prière de midi, non pas pour reprendre le petit tapis, le déplier, l'étaler par terre et faire sa prière. Elle ne vient que pour mettre de nouveau les gouttes de collyre dans les yeux de l'homme. Une, deux. Une, deux. Et repartir.

Après l'appel à la prière, la voix éraillée du mollah invoque Dieu afin qu'il accorde sa protection aux fidèles du quartier en ce jour de mercredi : « ...car, comme dit notre Prophète : *c'est un jour de malheur au cours duquel le Pharaon et son peuple furent noyés ainsi que furent détruits le peuple du Prophète Sâlih, les Ad et Thamoûd...* » Il s'arrête et reprend très vite avec une voix apeurée :

« Chers fidèles, comme je vous l'ai toujours indiqué, le mercredi est un jour où, selon les hadith de notre Prophète, le plus noble, *il ne convient ni de pratiquer la saignée, ni de donner, ni de recevoir.* Cependant, l'un des hadith, rapporté par Ibn Younès, dit que lors du Djihad on peut y avoir recours. Aujourd'hui, votre frère, le vénérable Commandant, vous munit d'armes pour que vous défendiez votre honneur, votre sang, votre tribu ! »

Dans la rue, les hommes s'époumonent : « *Allah-o Akbar* ! » Ils courent. « *Allah-o Akbar* ! » Leurs voix s'éloignent, « *Allah-o...* », et s'approchent de la mosquée.

Quelques fourmis rôdent autour du cadavre de la mouche sur le kilim. Puis elles se ruent sur elle pour l'emporter.

La femme vient jeter un regard inquiet vers l'homme. Elle craint, peut-être, que l'appel aux armes l'ait remis sur pied !

Elle reste non loin de la porte. Ses doigts caressent ses lèvres, puis, nerveusement, s'enfournent entre ses dents, comme pour extraire des mots qui n'osent pas sortir. Elle quitte la chambre. On l'entend préparer quelque chose pour le déjeuner, parler et jouer avec les enfants.

Et puis la sieste.

Les ombres.

Le silence.

Elle revient, la femme. Moins nerveuse. S'assied auprès de l'homme. « Tout à l'heure, c'était le mollah. Il est venu pour notre séance de prière. Je lui ai confié que depuis hier j'étais devenue impure, que j'avais mes règles, comme Ève. Il n'a pas apprécié. Je n'ai pas compris pourquoi. Parce que j'ai osé me comparer à Ève, ou parce que je lui ai parlé de mes règles ? Il est parti en grommelant dans sa barbe. Avant il n'était pas comme ça, on pouvait plaisanter avec lui. Mais, depuis que vous avez proclamé cette nouvelle loi dans le pays, lui aussi il a changé. Il a peur, le pauvre. »

Son regard se pose sur le Coran. D'un seul coup, elle sursaute : « Merde, la plume ?! » Elle la cherche dans les pages du livre. Ne la trouve pas. Sous l'oreiller, ne la trouve pas. Dans ses poches, la trouve. Après un « ouf! », elle reprend sa place, «...ce mollah me fait perdre la tête ! » dit-elle en remettant la plume à l'intérieur du Coran. « De quoi je parlais ?… oui, de mes règles… bien sûr, je lui ai menti. » Elle jette un regard vif, plus malicieux que complaisant, vers l'homme. « Comme je t'ai menti à toi… plusieurs fois ! » Elle ramasse ses jambes contre sa poitrine et coince son menton entre les genoux. « Mais il faut que je t'avoue quand même une chose… » Elle le regarde longuement. Toujours avec la même étrange inquiétude dans l'œil. « Tu sais… » Sa voix s'éraille. Elle se rafraîchit la gorge avec sa salive, et lève la tête. « Lorsque nous nous sommes trouvés la première fois au lit… après trois ans de mariage, je te rappelle ! cette nuit-là, j'avais mes règles. » Son regard fuit l'homme pour se perdre dans les plis du drap. Elle met sa joue gauche sur les genoux. L'œil, qui porte une cicatrice, perd de son inquiétude. « Je ne t'ai rien dit. Et toi, tu croyais que… le sang était signe de ma virginité ! » Un rire sourd secoue son corps ramassé à croupetons. « Voyant le sang, tu étais ravi, fier ! » Un temps. Un regard. Et la crainte d'entendre un cri de colère, une insulte. Rien. Alors, douce et sereine, elle se laisse aller dans les recoins intimes de ses souvenirs : « Normalement, je ne devais pas avoir mes règles. Ce n'était pas la période, mais j'avais une semaine d'avance, c'était forcément dû à l'angoisse et à la peur de te rencontrer. Enfin, imagine, être fiancée pendant presque un an, et mariée pendant trois ans à un homme absent, ce n'est pas évident! Je vivais avec ton nom. Je ne t'avais même pas vu, entendu, touché auparavant. J'avais peur, peur de tout, de toi, du lit, du sang. Mais en même temps c'était une peur que j'aimais. Tu connais ce genre de peur qui ne t'éloigne pas de ton désir, au contraire, ça t'excite, ça te donne des ailes, même si ça peut te brûler. C'était cette sorte de peur que j'avais. De jour en jour, elle prenait du volume en moi, envahissait mon ventre, mes tripes… à la veille de ton arrivée, elle s'est vidée. Ce n'était pas une peur bleue. Non. C'était une peur rouge, rouge de sang. Quand j'en ai parlé à ma tante, elle m'a conseillé de ne rien dire… Je me suis donc tue. Et cela m'arrangeait. Bien que vierge, j'avais vraiment peur. Je me demandais ce qui se passerait si jamais je ne perdais pas de sang ce soir-là… » Sa main balaye l'air comme si elle chassait une mouche. « …ç'aurait été vraiment une catastrophe. J'avais entendu tant d'histoires à ce sujet. Je pouvais tout imaginer. » D'un ton railleur : « Faire passer le sang impur pour le sang de la virginité, c'était une idée géniale, non? » Elle se couche et se love contre l'homme : « Je n'ai jamais compris pourquoi chez

vous, les hommes, la fierté était tant liée au sang. »
Sa main se lève encore dans les airs. Ses doigts
bougent. On dirait qu'elle fait signe à quelqu'un
d'invisible de s'approcher. « Mais tu te rappelles
qu'un soir, c'était au début de notre vie commune,
tu étais rentré tard. Ivre mort. Tu avais fumé. Je
m'étais endormie. Sans me dire un mot, tu as
baissé mon pantalon. Je me suis réveillée. Mais j'ai
fait semblant de dormir profondément. Tu m'as...
pénétrée... Tu as eu tout le plaisir du monde...
mais lorsque tu t'es levé pour te laver, tu as aperçu
du sang sur ta queue ! Furieux, tu es revenu et tu
m'as battue au beau milieu de la nuit, juste parce
que je ne t'avais pas averti que j'avais mes règles. Je
t'avais sali ! » ricane-t-elle. « J'avais fait de toi un
impur ! » Sa main saisit dans l'air ses souvenirs, se
referme et descend pour caresser son ventre qui
enfle et se détend à une cadence plus rapide que
celle de la respiration de l'homme.

D'un geste brusque, elle fait glisser sa main
vers le bas, sous sa robe, entre ses cuisses. Ferme
les yeux. Respire profondément, douloureusement.
Elle enfonce les doigts entre ses jambes avec vio-
lence, comme si elle allait y planter une lame.
Retenant son souffle, elle retire sa main dans un
cri étouffé. Ouvre les yeux, regarde le bout de ses

ongles : ils sont mouillés. Mouillés de sang. Rouges de sang. Elle place sa main devant le visage absent de l'homme. « Regarde ! c'est toujours mon sang, propre. Entre mes menstrues et le sang propre, quelle différence ? qu'y a-t-il de répugnant dans ce sang ? » Sa main descend près du nez de l'homme. « Tu es né de ce sang ! Il est plus propre que ton propre sang à toi ! » Elle lui touche brutalement la barbe avec ses doigts. Lui frôlant les lèvres, elle sent son souffle. Un frisson d'angoisse lui parcourt la peau. Son bras tressaille. Elle retire sa main, serre les doigts, et, la bouche contre l'oreiller, pousse encore un cri. Un seul. Long. Déchirant. Et reste immobile. Longtemps. Très longtemps. Jusqu'à ce que le porteur d'eau frappe à la porte des voisins, que la toux caverneuse de la vieille voisine traverse les murs, que le porteur d'eau vide son outre dans le réservoir du voisin, que l'une de ses filles pleure dans le couloir. Alors, elle se lève et quitte la chambre sans oser regarder son homme.

Plus tard, beaucoup plus tard, lorsque les fourmis parviennent à porter le corps de la mouche jusqu'au pied du mur qui sépare les deux fenêtres, la femme revient avec un drap propre et la petite bassine en plastique. Elle enlève le linge qui cache les jambes de l'homme, lui nettoie le ventre, les pieds, le sexe... elle le recouvre. « Plus répugnant qu'un cadavre ! Il ne dégage aucune odeur. » Et repart.

Encore la nuit.
La chambre dans un noir absolu.

Soudain, l'éclair aveuglant d'une explosion. Une déflagration assourdissante fait trembler la terre. Son souffle brise les vitres.
Les hurlements déchirent les gorges.
Une deuxième explosion. Plus proche cette fois-ci. Plus violente, donc.
Les enfants pleurent.
La femme crie.
Le bruit de leur pas effrayés retentit dans le couloir et disparaît dans le sous-sol.

Au-dehors, non loin, quelque chose prend feu, peut-être l'arbre des voisins. La lueur des flammes déchire la pénombre de la cour et de la chambre.
Au-dehors, certains crient, d'autres pleurent, et quelques-uns tirent avec leurs Kalachnikov, on ne sait d'où ni vers qui, ... ils tirent, tirent...

Tout s'arrête enfin dans la lueur grise d'une aurore indécise.

Un silence épais s'abat alors sur la rue enfumée, sur la cour qui n'est plus qu'un jardin mort, sur la chambre où l'homme, couvert de suie, est allongé comme toujours. Immobile. Insensible. Avec ses souffles, lents.

Le grincement hésitant d'une porte qui s'ouvre, le bruit des pas prudents qui s'avancent dans le couloir, ne brisent pas ce silence de mort; ils le soulignent.

Les pas s'arrêtent derrière la porte. Après une longue pause – quatre souffles de l'homme –, la porte s'ouvre. C'est la femme. Elle entre. Son regard ne se pose pas immédiatement sur lui, il explore d'abord l'état de la pièce : les débris de vitres, la suie qui s'est déposée sur les oiseaux migrateurs des rideaux, sur les rayures éteintes du kilim, sur le Coran laissé ouvert, sur la poche de perfusion qui se vide de ses dernières gouttes sucrées-salées… Ensuite il balaye le drap couvrant les jambes cadavériques de l'homme, effleure sa barbe et finit par atteindre ses yeux.

Elle s'approche de l'homme d'un pas craintif. S'arrête. Contemple le mouvement de sa poitrine.

Il respire. Elle s'avance encore, se penche pour mieux voir ses yeux. Ils sont ouverts, couverts de poussières noires. Elle les nettoie avec le bout de sa manche, prend le flacon et instille le collyre dans chaque œil. Une, deux. Une, deux.

Prudemment, elle caresse le visage de l'homme pour enlever la suie, puis reste immobile, elle aussi. Le poids de l'angoisse sur les épaules, elle respire, comme toujours, à la même cadence que l'homme.

La toux caverneuse de la voisine traverse le silence de l'aurore grise, et fait tourner la tête de la femme vers le ciel jaune et bleu du rideau. Elle se lève et va vers la fenêtre, brisant les morceaux de vitres sous ses pieds. À travers les trous des rideaux, elle cherche la voisine. Un cri aigu perce sa poitrine. Elle se précipite vers la porte, sort dans le couloir. Mais le bruit assourdissant d'un char fige son élan. Perdue, elle revient. « La porte... notre porte sur la rue est démolie ! Les murs de la voisine... » Sa voix effrayée s'étouffe sous le vrombissement du char. Son regard parcourt à nouveau la pièce et s'arrête net sur la fenêtre. Elle s'en approche, entrouvre les rideaux et gémit : « Pas ça ! Non, pas ça ! »

Le bruit du char s'estompe, les quintes de toux de la voisine reviennent.

La femme s'affaisse sur les éclats de vitre. Les yeux fermés, la voix étouffée, elle implore : « Dieu... miséricordieux, j'appartiens à... » Un coup de feu. Et elle se tait. Un deuxième coup de feu. Puis le cri d'un homme : « *Allah o Akbar!* » Et le char qui tire. La détonation ébranle la maison, la femme. Elle se jette à plat ventre et rampe vers la porte pour atteindre le couloir, elle dévale les escaliers du sous-sol et rejoint ses filles terrifiées.

L'homme est toujours immobile. Impassible.

Lorsque les tirs se taisent – fin des munitions, peut-être –, le char s'en va. Le silence épais et enfumé revient s'installer pour un long moment.

Dans cette inertie poussiéreuse, au pied du mur qui sépare les deux fenêtres, une araignée vient rôder près du cadavre de la mouche délaissée par les fourmis. Elle l'examine. Elle aussi l'abandonne, fait le tour de la pièce, puis revient vers la fenêtre, s'accroche au rideau, l'escalade et flâne sur les oiseux migrateurs figés dans le ciel jaune et bleu. Elle quitte le ciel et grimpe au plafond pour disparaître le long des poutres pourrissantes afin d'y tisser sa toile, sans doute.

La femme réapparaît. Une fois de plus avec la bassine en plastique, une serviette, un drap. Elle nettoie tout. Les éclats de vitre, la suie épandue dans la chambre. Repart. Revient. Verse de l'eau sucrée-salée dans la poche de perfusion, reprend sa place auprès de l'homme pour lui mettre les dernières gouttes de collyre qui restent dans le flacon. Une. Elle attend. Deux. Elle s'arrête. Le flacon est vide. Elle s'en va.

Au plafond, l'araignée réapparaît. Elle se suspend au bout de son fil de soie, descend lentement. Elle atterrit sur la poitrine de l'homme. Après quelques instants d'hésitation, elle suit les lignes sinueuses du drap qui la guident vers sa barbe. Méfiante, elle s'en détourne et se glisse dans les plis de l'étoffe.

La femme revient. « Il y aura encore des représailles ! » annonce-t-elle ; et, d'un air résolu, elle s'avance vers l'homme. « Il faut que je t'amène au sous-sol. » Elle enlève le tuyau de sa bouche, et met ses mains sous ses aisselles. Le soulève. Tire ce squelette. Elle le traîne sur le kilim. S'arrête. « Je n'ai plus de force… » Désespérée. « Non, je n'arriverai jamais à te faire descendre les escaliers. »

Elle le ramène sur le matelas. Réintroduit le tube. Et reste un instant, sans bouger. Essoufflée, nerveuse, elle le toise et finit par dire : « Il vaudrait mieux qu'une balle perdue t'achève une fois pour toutes ! », se lève brusquement pour fermer les rideaux, et quitte la pièce d'un pas furieux.

On entend les quintes de toux de la voisine qui lacèrent le silence de cet après-midi, comme elles déchirent sa poitrine. Elle doit marcher sur les décombres des murs. Ses pas, lents et indécis, se traînent dans le jardin, s'approchent de la maison. Voici son ombre brisée sur les oiseaux migrateurs du rideau. Elle tousse et marmonne un nom inaudible. Elle tousse. Elle attend. Vainement. Elle bouge, s'éloigne, marmonne de nouveau le nom, et tousse. Sans réponse aucune. Elle appelle, elle tousse. Elle n'attend plus. Elle ne marmonne plus. Elle chantonne quelque chose. Des noms, peut-être. Et s'en va. Loin. Puis revient. On l'entend toujours chantonner, malgré le bruit de la rue. Le bruit des bottes. Les bottes de ceux qui se sont munis d'armes. Elles courent, les bottes. Se dispersent pour se cacher probablement quelque part, derrière les murs, dans les gravats… et attendre la nuit.

Aujourd'hui, le porteur d'eau ne vient pas. Le garçon ne traverse pas la rue sur son vélo en sifflant l'air de « *Laïli, Laïli, Laïli djân, djân, djân, tu m'as brisé le cœur…* ».
Tout le monde se terre. Se tait. Et attend.

Voici que la nuit tombe sur la ville, et que la ville tombe dans l'engourdissement de la peur.
Mais personne ne tire.

La femme repasse dans la chambre pour vérifier la poche de l'eau sucrée-salée, et repart. Sans un mot.

La vieille voisine tousse toujours et chantonne encore. Elle n'est ni loin ni proche. Elle ne peut être que parmi les débris du mur qui, naguère, séparait les deux maisons.

Un sommeil lourd et menaçant envahit la maison, toutes les maisons, toute la rue, sur le fond des plaintes fredonnées de la vieille voisine.

Et cela jusqu'à ce qu'elle perçoive à nouveau des bruits, des bruits de bottes. Elle cesse alors de chanter, mais continue de tousser. « Ils reviennent! » tremble sa voix dans le volume noir de la nuit.

Elles arrivent, les bottes. Elles s'approchent. Elles chassent la vieille dame, pénètrent dans la cour de la maison, et avancent. Elles avancent jusque devant la fenêtre. Par les carreaux cassés, le canon d'un fusil écarte le rideau aux motifs d'oiseaux migrateurs. Avec la crosse, on fracture la fenêtre. Trois hommes hurlants se jettent à l'intérieur. « Que personne ne bouge! » Et rien ne bouge. L'un d'eux allume une torche, la pointe vers l'homme paralytique, en aboyant : « Reste où tu es, sinon je te défonce le cul! », pose sa botte sur sa poitrine. Les trois ont la tête et le visage dissimulés par un turban noir. Ils encerclent l'homme qui, lui, respire toujours lentement et silencieusement. Un des trois se penche vers lui, « merde, il a un tube dans la bouche! », le retire, « où est ton arme? » hurle-t-il. Le regard du gisant est toujours inexpressif, perdu dans la pénombre du plafond, là où l'araignée a peut-être déjà tissé sa toile. « On te parle! » crie l'homme qui tient la torche. « Il est foutu! » conclut le deuxième en se baissant pour lui enlever sa montre et son alliance en or. Le troisième fouille dans tous les coins de la chambre : sous les matelas, sous les oreillers, derrière le rideau vert sans motif, sous le kilim… « Il n'y a rien ! » se lamente-t-il. « Allez voir dans les autres pièces ! » ordonne l'autre, le premier, celui qui a la torche à la main et sa botte sur la poitrine de l'homme. Les deux autres obéissent. Ils disparaissent dans le couloir.

Celui qui reste soulève le drap avec le canon de son fusil pour découvrir le corps de l'homme. Troublé par cette atonie et ce mutisme, il lui enfonce le talon de sa botte dans la poitrine. « Qu'est-ce que tu as à regarder comme ça ? » Il attend un gémissement. Rien ne vient. Pas de plainte. Désemparé, il tente une nouvelle fois : « Tu m'entends ? », et scrute le visage absent. Exaspéré, il gronde : « On t'a coupé la langue ? », puis grogne : « Tu es déjà crevé ou quoi ? » Enfin il se tait.

Après avoir respiré profondément, plein de colère, il l'attrape par le col et le soulève. Le visage blafard et hagard de l'homme l'effraye. Il le lâche, s'éloigne à reculons, s'arrête au seuil de la porte. Perturbé. « Où êtes-vous, les gars ? » grommelle-t-il derrière le pan de son turban qui étouffe sa voix. Il jette un regard dans le couloir, noir de nuit sombre, et crie : « Vous êtes là ? » Sa voix retentit dans le vide. Sa respiration, à lui aussi, devient longue et profonde. Il revient vers l'homme pour le dévisager encore une fois. Quelque chose l'intrigue, l'angoisse. Sa torche balaye ce corps inerte et retourne se fixer sur les yeux grands ouverts. Avec la pointe de sa botte, il lui donne un léger coup à l'épaule. Toujours pas de réaction, aucune. Il tient son arme dans le champ de vision de l'homme, puis pose le canon sur son front, appuie. Rien. Toujours rien. Il reprend son souffle, et regagne le seuil de la chambre. Il entend enfin les deux autres ricaner dans l'une des pièces. « Qu'est-ce qu'ils foutent ? » bougonne-t-il, effrayé. Les deux compères, rigolant, reviennent.

« Qu'est-ce que vous avez trouvé ?

– Regarde ! » dit l'un des deux, lui montrant un soutien-gorge. « Il a une femme !

– Oui, je le sais

– Tu le sais ?!

– Pauvre idiot, tu lui as enlevé son alliance, non ? »

Le deuxième, jetant le soutien-gorge par terre, « elle doit avoir des petits nichons ! » se marre-t-il avec son complice. Mais pas l'homme à la torche. Lui reste songeur. « J'ai l'impression de le connaître », marmonne-t-il en s'avançant vers l'homme. Les deux autres le suivent.

« C'est qui ?

– Je ne connais pas son nom.

– Il est des nôtres ?

– Je crois. »

Ils restent debout, visages toujours dissimulés par le pan de leurs turbans noirs.

« Il a parlé ?

– Non, il ne dit rien. Il ne bouge pas. »

L'un des hommes lui donne un coup de pied.

« Eh, réveille-toi !

– Arrête, tu ne vois pas qu'il a déjà les yeux ouverts !?

– Tu l'as achevé ? »

L'homme qui tient la torche fait non de la tête, et demande : « Où est sa femme ?

– Il n'y a personne dans la maison. »

Silence, de nouveau. Un long silence où tout s'accorde au seul rythme de la respiration de l'homme. Lent et lourd. L'un des hommes enfin craque : « Qu'est-ce qu'on fait alors ? On se casse ? » Aucune réponse.

Ils ne bougent pas.

Le chant de la vieille voisine se fait entendre à nouveau, entrecoupé par sa toux caverneuse. « La folle est de retour », dit l'un. « C'est peut-être sa mère », suppose l'autre. Le troisième quitte la pièce par la fenêtre et se rue vers la vieille. « Mère, tu habites ici ? » Elle chantonne : « J'habite ici... », elle tousse, « j'habite là... », elle tousse, « j'habite où je veux, chez ma fille, chez le roi, là où je veux... chez ma fille, chez le roi... » et tousse. L'homme la chasse encore une fois des décombres de sa propre maison, et revient. « Elle est devenue complètement folle ! »

Les quintes de toux s'éloignent et se noient dans le lointain.

L'homme à la torche aperçoit le Coran par terre, se précipite dessus, le saisit, se prosterne, embrasse le livre tout en priant derrière le pan de son turban. « C'est un bon musulman ! » s'exclame-t-il.

Ils replongent dans leurs pensées sans voix. Et ce jusqu'à ce que l'un, toujours le même, s'impatiente : « Bon, qu'est-ce qu'on fout maintenant ? les patrouilles, merde ! on n'a pas bombardé le quartier pour rien, non ?! » Ils se lèvent.

Celui qui tient la torche recouvre le gisant avec le drap, lui remet le tube dans la bouche, et fait signe aux deux autres de partir.

Ils s'en vont. Avec le Coran.

De nouveau l'aube.

De nouveau les pas de la femme.

Elle monte les escaliers du sous-sol, parcourt le couloir, entre dans la chambre sans s'étonner de trouver la porte ouverte, le rideau écarté ; sans se douter un instant de l'intrusion des visiteurs. Elle jette un coup d'œil à son homme. Il respire. Elle s'en va pour revenir avec deux verres d'eau. L'un pour la poche de perfusion, l'autre pour humecter les yeux de l'homme. Même là, elle ne s'aperçoit de rien. C'est sans doute à cause de la pénombre. Le jour n'est pas encore levé, le soleil n'a pas encore pénétré dans le ciel troué des rideaux aux motifs d'oiseaux migrateurs. C'est plus tard, lorsqu'elle revient pour changer le drap et la chemise de l'homme qu'elle remarque enfin son poignet et sa main nus. « Ta montre ? ton alliance ? » Elle examine ses mains, ses poches. Elle fouille sous le drap. Troublée, fait quelques pas dans la pièce. Revient. « Qu'est-ce qui s'est passé ? » Inquiète, puis paniquée, elle se demande : « Quelqu'un est

venu ? », et va à la fenêtre. « Oui, quelqu'un est
venu ! » s'exclame-t-elle, terrorisée, en découvrant
la fenêtre fracturée. « Pourtant... Je n'ai rien
entendu ! » Elle recule. « Je dormais ! Mon Dieu, à
ce point-là ?! » Affolée, elle court vers le couloir,
laissant l'homme découvert. Revient. Au seuil de la
porte, ramasse son soutien-gorge. « Ils ont fouillé
la maison ?! ils ne sont pas descendus au sous-
sol ?! », s'effondre auprès de l'homme, lui attrape le
bras et crie : « C'est toi... Tu as bougé ! tu fais tout
pour m'effrayer ! pour me rendre folle ! c'est toi ! »
Elle le secoue violemment. Retire le tuyau. Et
attend. Toujours aucun signe, aucun son. Sa tête
s'enfonce dans ses épaules. Un sanglot déchire sa
gorge, secoue son corps. Après un long soupir
oppressé, elle se lève, s'essuie les yeux avec le bout
de sa manche et, avant de s'en aller, réintroduit le
tube dans la bouche de l'homme.

On l'entend inspecter les autres pièces. Elle
s'arrête lorsque la toux caverneuse de la voisine
s'approche de la maison. Elle se hâte vers la cour
et appelle la vieille : « *Bibi...* il y a eu de la visite
cette nuit ?

– Oui, ma fille, il y a eu le roi... », elle
tousse, « il est venu me voir... il m'a caressée... »,

elle rit, et tousse. « Est-ce que tu as du pain, ma fille ? J'ai donné tout le mien au roi... il avait faim. Il était beau, ce roi ! beau à mourir ! il m'a demandé de chanter. » Elle se met à chanter : « *Oh, le roi de bonté / Je me lamente sur ma solitude / Oh, le roi...*

— Où sont les autres ? ton mari, ton fils ? » s'enquiert la femme. La vieille s'arrête de chanter et, d'une voix triste, poursuit son récit : « Il a pleuré, le roi, quand il m'a écoutée ! il a même demandé à mon mari et à mon fils de danser sur ma chanson. Ils ont dansé. Le roi leur a demandé de danser la danse des morts... ils ne la connaissaient même pas... » Elle sourit, et continue : « Alors, il la leur a apprise en leur coupant la tête et en leur versant de l'huile brûlante sur le corps... et là ils ont commencé à danser ! » Elle reprend sa complainte : « *Oh, le roi, sache que mon cœur ne supporte plus ton absence / Il est temps que tu reviennes...* » La femme l'arrête encore : « Mais qu'est-ce... mon Dieu... ta maison ! ton mari, ton fils... ils sont vivants ? » La vieille prend une petite voix, comme une enfant : « Oui, ils sont là, mon mari, mon fils... dans la maison... », elle tousse, « ils tiennent leur tête sous le bras », elle tousse, « car ils sont fâchés contre moi ! », elle tousse et pleure, la vieille. « Ils ne me parlent plus ! parce que j'ai donné tout le pain au roi. Tu veux les voir ?

– Mais…

– Viens ! parle avec eux ! »

Elles s'éloignent, traversent les décombres. On ne les entend plus.

Soudain, un hurlement, celui de la femme. Horrifiée. Horrifiante. Ses pas dégringolent sur les dalles, trébuchent sur les ruines, traversent le jardin et rentrent dans la maison. Elle crie, toujours. Elle vomit. Elle pleure. Elle court dans la maison. Comme une folle. « Je vais partir d'ici. Je vais retrouver ma tante. À n'importe quel prix ! » Sa voix paniquée se répand dans le couloir, dans les chambres, au sous-sol. Puis elle remonte avec ses enfants. Elles abandonnent la maison sans passer voir l'homme. On les entend s'éloigner, suivies par les quintes et les psalmodies de la vieille dame qui font rire les enfants.

Tout se noie dans le mutisme et l'inertie de l'homme.

Et cela dure.

Longtemps.

De temps à autre, les ailes des mouches balayent le silence. D'abord elles rappliquent l'air très décidé, mais après un tour complet de la chambre elles se perdent sur le corps de l'homme. Puis repartent.

Par instants, un petit vent se lève et soulève les rideaux. Il joue avec les oiseaux migrateurs figés sur le ciel jaune et bleu, troué çà et là.

Même une guêpe, avec ses bourdonnements menaçants, n'arrive pas à perturber l'état torpide de la chambre. Elle rôde et rôde autour de l'homme, se pose sur son front – le pique ou non, on ne le saura jamais –, et s'envole vers le plafond, dans les poutres pourrissantes, pour construire son nid, sans doute. Son rêve de nid s'achève dans le piège de la toile d'araignée.
Elle gigote. Et plus rien.

Rien de plus.

Puis retombe la nuit.
Retentissent les tirs.
Revient la voisine avec ses chants et sa toux d'outre-tombe. Et disparaît aussitôt.

La femme, elle, ne rentre pas.

L'aube.

Le mollah fait son appel à la prière.

Les armes dorment. Mais la fumée et l'odeur de la poudre prolongent leurs souffles.

Et c'est avec les premiers rais de lumière du soleil, pénétrant les trous du ciel jaune et bleu des rideaux, que la femme revient. Toute seule. Elle retourne directement dans la chambre, auprès de son homme. Ôte d'abord son voile. Reste debout un moment. Du regard, elle vérifie tout. Rien n'a été déplacé. Rien n'a été enlevé. Seule la poche de perfusion est vide.

Rassurée, la femme s'anime. Ses pas, chancelants, atteignent le matelas sur lequel l'homme est allongé, à moitié nu, comme elle l'avait laissé la veille. Elle le fixe pendant un long moment, comme si elle se remettait de nouveau à compter ses respirations. Elle s'apprête à s'asseoir, mais soudain, se fige en hurlant : « Le Coran ?! » L'angoisse envahit à nouveau son regard. Elle scrute tous les coins de la chambre. Aucune trace de la parole de Dieu. « Le chapelet ? » Elle le découvre sous l'oreiller. « Quelqu'un est encore passé ?! » Encore le doute. Encore l'inquiétude.

« Hier le Coran était là, non? » Incertaine, elle se laisse tomber à terre. Et soudain : « La plume! » s'écrie-t-elle, et elle se met à fouiller partout avec furie. « Mon Dieu! La plume! »

La voix des enfants, ceux du quartier, se lève. Ils s'ébattent à travers les décombres :
« Hadji mor'alé?
– Balé?
– Qui choisit l'eau? Qui choisit le feu? »
La femme s'avance vers la fenêtre, écarte les rideaux, interpelle les enfants : « Vous avez vu quelqu'un entrer dans la maison? » Tous, d'une même voix, crient : « Non! », et reprennent leur jeu : « Je choisis le feu! »

Elle quitte la pièce, inspecte toute la maison.
Lasse, elle revient, prend place contre le mur qui sépare les deux fenêtres. « Mais qui vient? Qu'est-ce qu'ils font avec toi? » Une inquiétude, mêlée de trouble, se lit dans son regard. « On ne peut plus rester ici! » Elle se tait subitement comme si elle était interrompue par quelqu'un. Après une brève hésitation, elle reprend : « Mais que faire avec toi? Où puis-je t'emmener dans un tel état? Je crois que… » Son regard s'accroche à la

poche vide de la perfusion. « Je dois chercher de l'eau », dit-elle pour se donner du temps. Elle se lève, va chercher et rapporter les deux verres d'eau. Accomplit ses tâches quotidiennes. Puis s'assoit. Veille. Médite. Ce qui lui permet, quelques souffles plus tard, d'annoncer d'une voix presque victorieuse : « J'ai pu trouver ma tante. Elle est allée dans le nord de la ville, un endroit plus sûr, chez son cousin. » Une pause. La pause habituelle où elle attend une réaction qui ne vient pas. Elle poursuit alors : « J'ai laissé les enfants auprès d'elle. » Encore une pause. Puis, accablée, elle murmure : « J'ai peur ici », comme pour justifier sa décision. Ne recevant aucun signe, aucune parole pour lui donner raison, elle baisse la tête en même temps que sa voix : « J'ai peur de toi ! » Son regard cherche quelque chose par terre. Les mots. Mais plus encore, l'audace. Elle les trouve, les saisit, les jette : « Je ne peux rien faire pour toi. Je crois que tout est fini ! » Elle se tait encore, puis enchaîne à la hâte avec fermeté : « Il paraît que ce quartier sera la prochaine ligne de front entre les factions. » Avec rage, elle ajoute : « Tu le savais, hein ? » À nouveau une pause, juste un souffle pour retrouver la force d'affirmer : « Tes frères aussi, ils savaient ! C'est pour ça qu'ils sont tous partis. Ils nous ont abandonnés! les lâches! Ils ne m'ont pas emmenée avec eux parce que tu étais vivant! Si... » Elle avale sa salive, et sa rage aussi. Elle reprend, moins véhémente : « Si... tu avais été mort, les choses auraient été différentes... » Elle suspend sa pensée. Elle hésite. Après un long souffle, elle se décide : « L'un d'eux aurait dû m'épouser! ». Un ricanement intérieur fait dérailler sa voix. « Peut-être qu'ils auraient préféré que tu sois mort. » Elle tremble. « Comme ça, ils auraient pu me... baiser! La conscience tranquille. » Cela dit, elle se lève brusquement, et quitte la chambre. Dans le couloir, ses pas nerveux errent de long en large. Elle cherche quelque chose. Le calme. La sérénité. Mais elle revient encore plus fébrile. Elle se rue vers l'homme et enchaîne ses mots aux précédents : « Tes frères, ils ont toujours eu envie de me baiser! ils... » S'éloigne, se rapproche. « Ils me mataient... tout le temps, durant les trois ans de ton absence... ils me mataient par la petite fenêtre du hammam pendant que je me lavais, et ils se... branlaient. Ils nous mataient aussi, la nuit... » Ses lèvres tremblent. Ses mains se démènent dans l'air, dans ses cheveux, dans les plis de sa robe. Ses pas se perdent sur les rayures éteintes du vieux kilim. « Ils se bran... » Sur ces mots en suspens, elle quitte à nouveau la chambre en rage pour prendre l'air et se vider de sa colère. « Les salauds ! les enfoirés !... » s'écrie-t-elle, exaspérée. Puis, très vite, on l'entend pleurer et implorer : « Qu'est-ce que je dis ?! Pourquoi je dis tout cela ?! Mon Dieu, aide-moi ! Je n'arrive plus à me contrôler. Je dis n'importe quoi... »

Elle se mure dans le silence.

On ne perçoit plus non plus les enfants qui jouaient sur les ruines. Ils ont déguerpi ailleurs, enfin.

La femme réapparaît. Cheveux défaits. Regard égaré. Après un détour, elle vient s'affaisser contre la tête de l'homme. « Je ne sais pas ce qui m'arrive. Mes forces défaillent de jour en jour. Comme ma foi. Tu dois me comprendre. » Elle le caresse. « J'espère que tu arrives à penser, à entendre, à voir... me voir, m'entendre... » Elle s'adosse au mur, et laisse passer un long moment – peut-être une dizaine de tours de chapelet, comme si elle l'égrenait encore au rythme des souffles de l'homme –, le temps de réfléchir, de partir dans les recoins de sa vie, et puis de revenir avec des souvenirs : « Tu ne m'as jamais écoutée, tu ne m'as jamais entendue ! Nous ne nous sommes jamais parlé de tout cela ! Cela fait plus de dix ans que nous nous sommes mariés, mais nous n'avons vécu ensemble que deux ou trois ans. Non ? » Elle compte. « Oui, dix ans et demi de mariage, trois ans de vie commune ! C'est maintenant que je compte. C'est aujourd'hui que je me rends compte de tout ! » Un sourire. Un sourire jaune et court qui remplace mille et un mots pour exprimer ses regrets, ses remords... Mais, très vite, les souvenirs l'emportent : « À l'époque, je ne me posais même pas de questions sur ton absence. Elle m'était si naturelle ! Tu étais au front. Tu te battais au nom de la liberté, au nom d'Allah ! Et cela justifiait tout. Cela me donnait espoir et fierté. D'une certaine manière, tu étais présent. En chacun de nous. » Elle a les yeux qui percent le temps, et revoient... « Ta mère, avec son énorme poitrine, qui venait chez nous pour demander la main de ma sœur cadette. Ce n'était pas son tour de se marier. C'était mon tour. Et ta mère a simplement répondu : *Bon, ce n'est pas grave, ça sera elle alors !* en pointant son index charnu vers moi lorsque je versais le thé. Paniquée, j'ai renversé la théière. » Elle cache son visage avec ses paumes. Par honte, ou pour chasser l'image de sa belle-mère qui devait bien se moquer d'elle à cet instant. « Toi, tu n'étais même pas au courant. Mon père, qui n'attendait que cela, a accepté sans hésiter une seule seconde. Il s'en foutait complètement que tu sois absent ! Qui étais-tu vraiment ? Personne ne savait. Pour nous tous, tu n'étais qu'un nom : le Héros ! Et, comme tous les héros, absent ! C'était beau pour une fille de dix-sept ans de se fiancer avec un héros. Je me disais : Dieu aussi est absent, pourtant je l'aime, je crois en lui... Bref, ils ont célébré nos fiançailles sans le fiancé ! Ta mère prétendait : *C'est bon, la victoire est proche ! Bientôt ce sera la fin de la guerre, la libération, et le retour de mon fils !* Presque un an après, ta mère est revenue. La victoire était encore loin. Alors elle a dit : *C'est périlleux de laisser une jeune fiancée aussi longtemps chez ses parents !* Je devais donc me marier malgré ton absence. Lors de la cérémonie, tu étais présent par ta photo et par ce foutu kandjar que l'on a mis à mon côté, à ta place. Et j'ai dû encore t'attendre trois ans. Trois ans ! Et pendant trois ans, je n'ai plus eu le droit de voir mes copines, ma famille... Il est déconseillé à une jeune mariée vierge de fréquenter les autres filles mariées. Foutaise ! Je devais dormir avec ta mère qui veillait sur moi, ou plutôt qui veillait sur ma chasteté. Et tout cela paraissait si normal, si naturel à tout le monde. Même à moi! La solitude n'avait pas de nom pour moi. Le soir, je dormais avec ta mère, le jour je discutais avec ton père. Heureusement qu'il était là. Quel homme! Je n'avais que lui. Ta mère, elle ne supportait pas ça. Quand elle me voyait avec lui, elle se crispait. Elle me chassait vite dans la cuisine. Ton père me lisait des poèmes, me racontait des histoires. Il me faisait lire, écrire, réfléchir. Il m'aimait. Parce qu'il t'aimait, toi. Il était fier de toi quand tu te battais pour la liberté. Il m'en parlait. C'est après la libération qu'il a commencé à te haïr, toi, mais aussi tes frères, lorsque vous ne vous battiez plus que pour le pouvoir. »

Sur les décombres retentissent de nouveau les cris des enfants. Ils envahissent la cour et la maison.

Elle se tait. Écoute les enfants qui reprennent leur jeu :

« Hadji mor'alé?

– Balé?

– Qui choisit le pied? Qui choisit la tête? »

– Je choisis le pied. »

Ils se dispersent encore une fois dans la rue.

Elle reprend : « Pourquoi est-ce que je parlais de ton père? » Se frottant la tête contre le mur, elle semble réfléchir, fouiller dans sa mémoire... « Oui, parce que je parlais de nous deux, de notre mariage, de ma solitude... c'est ça. Trois ans d'attente, et tu reviens. Je m'en souviens comme si c'était hier. Le jour où tu es rentré, le jour où je t'ai vu pour la première fois... » Un rire sarcastique s'échappe de sa poitrine. « Tu étais comme aujourd'hui, pas un mot, pas un regard... » Ses yeux se posent sur la photo de l'homme. « Tu t'es assis à côté de moi. Comme si nous nous connaissions... comme si tu me revoyais juste après une brève absence ou comme si j'étais une banale récompense pour ta victoire ! Je te regardais, mais toi, tu avais les yeux rivés je ne sais où. Je ne sais toujours pas si c'était par pudeur ou par fierté. Peu importe. Mais moi, je te voyais, je te regardais à la dérobée, je te contemplais. Dans le moindre mouvement de ton corps, dans la moindre expression de ton visage... » Sa main droite se promène dans les cheveux crasseux de l'homme. « Et toi, l'air absent, arrogant, tu étais ailleurs. Elle est bien vraie, la parole des sages : *Il ne faut jamais compter sur celui qui connaît le plaisir des armes !* » Encore un rire, mais doux cette fois-ci. « Les armes deviennent tout pour vous... Tu dois connaître cette histoire dans un camp militaire où un officier essaie de

71

démontrer aux nouveaux appelés la valeur d'une arme. Il demande alors à un jeune soldat, Bénâm : *Tu sais ce que tu as sur ton épaule ?* Bénâm dit : *Oui, chef, c'est mon fusil !* L'officier hurle : *Non, imbécile ! C'est ta mère, ta sœur, ton honneur !* Puis il passe à un autre soldat et lui pose la même question. Le soldat répond : *Oui, chef ! C'est la mère, la sœur, l'honneur de Bénâm !* » Elle rit toujours. « Cette histoire est tellement juste. Vous les hommes ! quand vous avez des armes, vous oubliez vos femmes. » Elle replonge dans le silence, sans cesser de caresser les cheveux de l'homme. Affectueusement. Longuement.

Puis, d'un ton désolé, elle continue : « À l'époque de mes fiançailles, je ne savais rien des hommes. Je ne savais rien de la vie de couple. Je ne connaissais que mes parents. Et quel bel exemple ?! Mon père, ce qui l'intéressait, c'était ses cailles, ses cailles de combat ! Je le voyais souvent embrasser ses cailles, mais jamais ma mère ni nous, ses enfants. Nous étions sept. Sept filles sans affection. » Ses yeux se perdent dans le vol figé des oiseaux migrateurs du rideau. Elle y voit son père : « Toujours, il s'asseyait en tailleur. Avec la main gauche, il tenait la caille et la caressait sur sa robe, juste au niveau de son machin, laissant ses petites pattes sortir entre ses doigts ; et avec l'autre main, il lui caressait le cou d'une manière obscène. Et cela pendant des heures et des heures ! Même s'il recevait du monde, il ne s'arrêtait pas pour autant de faire son *gassaw,* comme il disait. C'était une sorte de prière pour lui. Il en était tellement fier, de ses cailles. Je l'ai même vu une fois, alors qu'il faisait un froid dur et glacial, enfouir l'une de ses cailles sous son pantalon, dans son *kheshtak* ! J'étais petite. Depuis, longtemps, j'ai imaginé que les hommes n'avaient qu'une caille entre les jambes ! Cela m'amusait d'y penser. Devine ma déception lorsque la première fois j'ai vu tes couilles ! » Un sourire l'arrête et lui ferme les yeux. Sa main gauche se perd dans ses propres cheveux défaits et caresse leur racine. « Je haïssais ses cailles. » Elle ouvre les yeux. Son regard attristé se suspend de nouveau au ciel troué du rideau : « Tous les vendredis, il les emmenait au combat dans le jardin de Qâf. Il pariait. De temps en temps, il gagnait, de temps en temps il perdait. Quand il perdait, il devenait nerveux, méchant. Il rentrait à la maison fou furieux et il cherchait n'importe quel prétexte pour nous battre... il battait aussi ma mère. » Elle s'interrompt. La douleur l'interrompt. Une douleur qui monte au bout de ses doigts et les enfonce encore plus profondément dans la racine de ses cheveux noirs. Elle s'efforce de poursuivre : « Lors de l'un de ces combats, il avait gagné beaucoup d'argent, je suppose... mais il a mis tout son argent dans l'achat d'une caille hors de prix. Il a passé des semaines et des semaines à la préparer pour un combat très important. Et... », elle rit, de ce rire amer qui tient à la fois du sarcasme et de la désespérance, et continue : « Ironie du sort, il a perdu. Et comme il n'avait plus d'argent pour honorer le pari, alors il a donné ma sœur. Ma sœur, à douze ans, a dû partir chez un homme de quarante ans ! » Ses ongles quittent la racine de ses cheveux, descendent sur son front pour caresser la cicatrice au coin de son œil gauche. « À l'époque, moi, je n'en avais que dix... non... », elle s'interroge, « si, dix ans. J'avais peur. Peur de devenir, moi aussi, l'enjeu d'un pari. Alors, tu sais ce que j'ai fait avec sa caille ? » Elle marque une pause. On ne sait pas si c'est pour donner du suspens à son récit, ou parce qu'elle hésite à dévoiler la suite. Elle reprend enfin : « Un jour... c'était un vendredi, pendant qu'il était à la mosquée pour la prière, avant de se rendre au jardin de Qâf, j'ai fait sortir l'oiseau de la cage, et l'ai laissé s'échapper alors qu'un chat errant, tigré roux et blanc, guettait là, sur le mur. » Elle respire profondément. « Et le chat l'a attrapé. Il l'a emporté dans un coin pour le manger tranquillement. Je l'ai suivi. Je suis restée à le contempler. Je n'ai jamais oublié ce moment-là. J'ai même souhaité "bon appétit" au chat. J'étais heureuse, comblée de voir ce chat manger la caille. Un moment d'extase. Mais très vite, j'ai ressenti un sentiment de jalousie. Je voulais être le chat, ce chat qui se délectait de la caille de mon père. J'étais jalouse et triste. Ce chat ne savait rien de la valeur de cette caille. Il ne pouvait pas partager ma joie et mon triomphe. "Quel gâchis!" je me suis dit; et, d'un seul coup, je me suis ruée vers le chat pour récupérer les restes de l'oiseau. Il m'a griffé le visage et s'est enfui en emportant la caille. Je me suis sentie tellement frustrée et désespérée que je me suis mise à lécher, comme une mouche, les quelques gouttes du sang de la caille de mon père répandues sur le sol. » Ses lèvres se tordent. Comme si elles ressentaient encore la tiédeur humide du sang. « Mon père, quand il est rentré, trouvant la cage vide, est devenu fou. Hors de lui. Il hurlait. Il nous a tabassées, ma mère, mes sœurs et moi, parce que nous n'avions pas surveillé sa caille. Sa maudite caille!

Pendant qu'il me tapait, j'ai crié que c'était bien fait... parce que c'était à cause de cette maudite caille que ma sœur avait dû partir! Mon père a tout compris. Il m'a enfermée alors dans le sous-sol. Il y faisait noir. J'ai dû y passer deux jours. Il a lâché aussi un chat avec moi – un autre chat errant qui devait rôder dans le coin –, en m'avertissant avec joie que l'animal ayant faim me prendrait comme proie. Mais, par chance, notre maison était infestée de rats. Le chat est devenu mon ami. » Elle s'arrête, abandonne ses souvenirs du sous-sol, revient à elle, auprès de son homme. Troublée, elle jette un long regard vers lui, et, soudain, se détache du mur. Elle murmure : « Mais... mais pourquoi je lui raconte tout ça? » Accablée par ses souvenirs, elle se lève lourdement. « Je n'ai jamais voulu que quelqu'un le sache. Jamais! même pas mes sœurs! » Contrariée, elle quitte la pièce. Ses craintes résonnent dans le couloir : « Il me rend folle! il me rend faible! il me pousse à parler! à avouer mes fautes, mes erreurs! Il m'écoute! il m'entend! c'est sûr! il cherche à m'atteindre... à me détruire! »

Elle s'enferme dans une des chambres pour blottir son angoisse dans une solitude absolue.

Les enfants crient toujours sur les ruines.

Le soleil se déplace de l'autre côté de la maison, retirant ainsi ses rais de lumière des trous du ciel jaune et bleu du rideau.

Plus tard, elle revient. Le regard sombre. Les mains tremblantes. Elle s'approche de l'homme. S'arrête. Respire profondément. D'un geste sec, elle saisit le tuyau. Ferme les yeux et le retire de sa bouche. Elle se tourne, les yeux fermés. S'avance d'un pas incertain. Sanglote : « Dieu, pardonne-moi ! », ramasse son voile et disparaît.

Elle court. Dans le jardin. Dans la rue...

Du tube suspendu, l'eau sucrée-salée tombe goutte à goutte sur le front de l'homme. Elle ruisselle dans le creux de ses rides, s'oriente vers la racine du nez, d'où elle se répand dans l'orbite de l'œil, et coule sur la joue crevassée pour finir dans l'épaisseur de la moustache.

Le soleil se couche.
Les armes se réveillent.
Ce soir encore on détruit.
Ce soir encore on tue.

Le matin.

Il pleut.

Il pleut sur la ville et ses ruines.

Il pleut sur les corps et leurs plaies.

Quelques souffles après la dernière goutte d'eau sucrée-salée, le bruit de pas mouillés résonne dans la cour, arrive dans le couloir. On ne se débarrasse pas de ses chaussures boueuses.

La porte de la chambre s'entrouvre lentement. C'est la femme. Elle n'ose pas entrer. Elle observe l'homme avec son étrange inquiétude. Elle pousse la porte encore d'un cran. Attend encore. Rien ne bouge. Se déchausse, puis se glisse doucement à l'intérieur et s'arrête devant l'embrasure de la porte. Ses mains lâchent son voile. Elle tremble. De froid. Ou de peur. Elle s'avance jusqu'à ce que ses pieds touchent le matelas sur lequel l'homme est allongé.

Les souffles ont leur cadence habituelle.

La bouche est toujours entrouverte.

L'air est toujours moqueur.

Les yeux sont toujours vides, sans âme… mais humides de larmes, aujourd'hui ! Elle s'accroupit, effrayée. « Tu… tu pleures ?! » S'effondre. Mais très vite elle s'aperçoit que les larmes ne viennent que du tube, de l'eau sucrée-salée.

De sa gorge sèche, sourd une voix blanche :
« Mais qui es-tu ? » Un temps, deux souffles.
« Pourquoi Dieu n'envoie-t-il pas Izra'el pour en
finir une fois pour toutes avec toi ?! » demande-t-
elle d'un coup. « Qu'est-ce qu'il veut de toi ? » Elle
lève la tête. « Qu'est-ce qu'il veut de moi ?! » Un
timbre grave assombrit sa voix. « *Il veut te punir !*
me dirais-tu.* » Elle fait « non » de la tête et dit
d'une voix plus claire : « Détrompe-toi ! C'est peut-
être te punir, toi ! Il te garde vivant pour que toi, tu
voies ce que je suis capable de faire de toi, avec toi.
Il est en train de faire de moi une démone... pour
toi, contre toi ! Oui, je suis ta démone ! en chair et
en os ! » Elle prend place sur le matelas pour éviter
le regard vitreux de l'homme. Et reste un long
moment silencieuse, pensive. Partie ailleurs, loin,
très loin dans le temps, le jour où la démone est
née en elle.

« Avec tout ce que je t'ai avoué hier, tu me diras
que déjà toute petite j'étais une démone. Une
démone aux yeux de mon père. » Sa main touche
doucement le bras de l'homme, le caresse : « Mais
pour toi, je n'ai jamais été ça, n'est-ce pas ? » Elle
hoche la tête. « Si... Peut-être... » Un silence chargé

de doutes et d'incertitudes. « Mais tout ce que j'ai fait, c'était pour toi… pour te garder. » Sa main glisse sur la poitrine de l'homme. « Non, non, à vrai dire, pour que toi, tu me gardes, moi. Pour que tu ne me quittes pas ! Voilà, pourquoi j'ai fait… » Elle s'interrompt. Son corps se ramasse et se blottit sur le côté, auprès de l'homme. « J'ai tout fait pour que tu me gardes. Non pas uniquement parce que je t'aimais, mais pour que tu ne m'abandonnes pas. Sans toi, je n'avais plus personne. J'aurais été bannie par tout le monde. » Elle se tait. Sa main vient gratter sa tempe. « J'avoue qu'au début je n'étais pas sûre de moi. Je n'étais pas sûre de pouvoir t'aimer. Je me demandais comment aimer un héros. Ça me paraissait tellement inaccessible, comme un rêve. Durant trois ans, j'avais essayé de t'imaginer… Et puis un jour tu es venu. Tu t'es glissé dans le lit. Tu t'es mis sur moi. Tu t'es frotté contre moi… Tu n'y arrivais pas ! Et tu n'osais même pas me dire un mot. Dans l'obscurité totale, avec nos cœurs qui battaient frénétiquement, nos souffles saccadés, et nos corps en sueur… » Elle a les yeux fermés. Elle est emportée ailleurs, loin de ce corps inerte. Elle est complètement noyée dans l'obscurité de cette nuit de désir. Assoiffée. Et elle y reste un moment. Sans mot. Sans geste.

Puis : « Après, très vite, je me suis habituée à toi, à ton corps malhabile, à ta présence vide qu'à l'époque je ne savais comment qualifier... Peu à peu, quand tu t'absentais, je m'inquiétais. Je guettais ton retour. Ton absence, même très courte, me plongeait dans un état bizarre... J'avais l'impression que quelque chose manquait. Non pas dans la maison, mais en moi... Je me sentais vide. Je me mettais alors à manger n'importe quoi. Et chaque fois, ta mère venait me voir d'un air impatient en me demandant si je n'avais pas envie de vomir. Elle s'imaginait que j'étais enceinte ! Quand je faisais part aux autres – à mes sœurs – de mes angoisses, de mes états d'âme pendant ton absence, elles me répondaient que j'étais tout simplement amoureuse. Mais tout cela n'a pas duré bien longtemps. Au bout de cinq ou six mois, tout a changé. Persuadée que j'étais stérile, ta mère me harcelait. Toi aussi, d'ailleurs. Mais... » Sa main se lève avec un mouvement au-dessus de sa tête comme pour chasser la suite des paroles qui viennent l'assaillir.

Quelques instants – cinq ou six souffles – plus tard, elle poursuit : « Et tu as repris les armes. Tu es reparti pour cette guerre fratricide, absurde ! Tu es devenu prétentieux, arrogant, violent ! Comme toute ta famille, à l'exception de ton père. Les autres, ils me méprisaient, tous. Ta mère mourait d'envie de te voir prendre une seconde épouse. Alors, j'ai très vite compris ce qui m'attendait. Ma destinée. Tu ne sais rien du tout... rien de tout ce que j'ai pu faire pour que tu me gardes. » Elle pose sa tête sur le bras de l'homme. Un sourire doux, comme pour implorer sa clémence. « Tu me pardonneras, un jour, tout ce que j'ai fait... » Son visage se ferme. « Mais aujourd'hui quand j'y pense... si tu avais su, tu m'aurais tuée sur le coup ! » Elle se jette sur l'homme, le regarde longuement, droit dans ses yeux absents. Puis elle pose la joue sur sa poitrine, tendrement. « Comme c'est étrange ! Je ne me suis jamais sentie aussi proche de toi qu'en ce moment. Ça fait dix ans que nous nous sommes mariés. Dix ans ! et c'est seulement depuis trois semaines qu'enfin je partage quelque chose avec toi. » Sa main caresse les cheveux de l'homme. « Je peux te toucher... tu ne m'as jamais laissé te toucher, jamais ! » Se glisse vers la bouche de l'homme. « Je ne t'ai jamais embrassé. » Elle l'embrasse. « La première fois que j'ai voulu te donner un baiser sur les lèvres, tu m'as repoussée. Je voulais faire comme dans les films indiens. Tu avais peur, peut-être, c'est ça ? » l'interroge-t-elle d'un air amusé. « Oui. Tu avais peur parce que tu ne savais pas comment embrasser une fille. » Ses lèvres caressent la barbe drue. « Maintenant je peux tout faire avec toi ! » Elle soulève la tête pour mieux voir son homme au regard vide. Le fixe longuement, de près. « Je peux te parler de tout, sans être interrompue, sans être blâmée ! » Elle colle sa tête contre son épaule. « Hier, quand je suis partie, j'ai eu une sensation étrange, indéfinissable. Je me sentais à la fois triste et soulagée, malheureuse et heureuse. » Son regard se perd dans l'épaisseur de la barbe. « Oui, un curieux soulagement. Je n'arrivais pas à comprendre pourquoi, malgré l'angoisse et l'horrible culpabilité que j'avais en moi, je me sentais apaisée, légère. Je ne savais pas si ça n'était pas à cause de... » Elle s'arrête. Comme toujours, on ne sait pas si elle suspend sa pensée, ou bien si elle cherche ses mots.

Elle pose à nouveau sa tête contre la poitrine de l'homme, et reprend : « Oui, je pensais que j'étais soulagée parce que j'avais pu enfin t'abandonner... te laisser mourir... me débarrasser de toi ! » Son corps se serre contre le corps inerte de l'homme, comme si elle avait froid. « Oui, me débarrasser de toi… parce qu'hier, tout d'un coup, j'ai cru que tu étais toujours conscient, sain d'esprit et de corps, que tu voulais me faire parler, percer mes secrets, me posséder. Alors, j'ai eu peur. » Elle embrasse sa poitrine. « Tu me pardonnes ? » Le regarde tendrement. « En quittant la maison, enfouie sous le tchâdri, j'ai erré en larmes dans les rues de cette ville sourde et aveugle. Comme une folle ! Le soir, quand je suis rentrée chez ma tante, tout le monde m'a crue malade. Je suis allée directement dans ma chambre pour me blottir dans ma détresse, dans ma culpabilité. J'ai passé une nuit blanche. J'avais l'impression d'être un monstre, une véritable démone ! J'étais terrorisée. Est-ce que j'étais devenue une folle, une criminelle ? » Elle se détache du corps de son homme. « Comme toi, comme tes semblables… comme ceux qui avaient décapité toute la famille voisine ! Oui, j'appartenais à votre camp. C'était terrifiant d'en arriver à une telle conclusion. J'ai pleuré toute la nuit. » Elle se rapproche de lui. « Alors le matin, à l'aurore, juste avant qu'il ne pleuve, le vent a ouvert la fenêtre… j'ai eu froid… j'ai eu peur. Je me suis serrée contre mes filles… J'ai senti une présence derrière moi. Je n'osais pas regarder. J'ai senti une main qui me caressait. Je ne pouvais plus bouger. J'ai entendu la voix de mon père. J'ai rassemblé toutes mes forces pour me retourner. Il était là. Avec sa barbe blanche. Ses petits yeux qui papillotaient dans l'obscurité. Sa silhouette brisée. Il avait dans ses mains la caille que j'avais livrée au chat. Sa caille était revenue à la vie! prétendait-il, grâce à tout ce que j'avais pu te raconter hier. Il m'a alors embrassée. Je me suis levée. Il n'était plus là. Reparti, emporté par le vent. Sous la pluie. Était-ce un rêve? Non... c'était si vrai! Son souffle sur ma nuque, les callosités de sa paume contre ma peau... » Elle place sa main sous son menton pour tenir sa tête droite. « Sa visite m'a enchantée, illuminée. J'ai enfin compris que la tentative de t'abandonner à ta mort n'était pas la cause de mon soulagement. » Elle s'étire. « Tu me comprends?... en fait, ce qui me libérait, c'était d'avoir parlé de cette histoire, l'histoire de la caille. Le fait de tout dire. Tout te dire, à toi. Là, je me suis aperçue qu'en effet depuis que tu étais malade, depuis que je te parlais, que je m'énervais contre toi, que je t'insultais, que je te disais tout ce que j'avais gardé sur le cœur, et que toi tu ne pouvais rien me répondre, que tu ne pouvais rien faire contre moi... tout ça me réconfortait, m'apaisait. » Elle tient l'homme par les épaules : « Donc, si je me sens soulagée, délivrée… et ça malgré le malheur qui nous gifle à chaque instant, c'est grâce à mes secrets, grâce à toi. Je ne suis pas une démone ! » Elle lâche ses épaules, et caresse sa barbe. « Parce que désormais je possède ton corps, et toi mes secrets. Tu es là pour moi. Je ne sais pas si tu peux voir ou non, mais d'une chose je suis sûre et certaine, tu peux m'entendre, tu peux me comprendre. Et c'est pour ça que tu es en vie. Oui, tu es en vie pour moi, pour mes secrets. » Elle le secoue. « Tu verras. Comme ils ont pu ressusciter la caille de mon père, mes secrets te feront vivre ! Regarde, ça fait trois semaines que tu vis avec une balle dans la nuque. On n'a jamais vu ça, jamais ! Personne ne peut y croire, personne ! Tu ne manges pas, tu ne bois pas et tu es toujours là ! C'est un miracle en effet. Un miracle pour moi, grâce à moi. Ton souffle est suspendu au récit de mes secrets. » Elle se lève, légère, puis se fige dans un mouvement empli de grâce comme pour dire : « Mais, ne t'inquiète pas, mes secrets n'ont pas de fin. » Ses mots franchissent la porte : « Maintenant, je ne veux plus te perdre ! »

Elle revient remplir la poche de la perfusion. « Maintenant, je comprends enfin ce que disait ton père à propos d'une pierre sacrée. C'était vers la fin de sa vie. Toi, tu étais absent, reparti une fois de plus à la guerre. Il y a quelques mois, juste avant que tu reçoives cette balle, ton père était malade ; et il n'y avait que moi pour s'occuper de lui. Il était obsédé par une pierre magique. Une pierre noire. Il en parlait sans cesse… comment l'appelait-il, cette pierre ? » Elle cherche le mot. « Aux amis qui venaient lui rendre visite, il demandait systématiquement de lui apporter cette pierre… une pierre noire, précieuse… » Elle enfonce le tube dans la gorge de l'homme. « Tu sais, cette pierre que tu poses devant toi… devant laquelle tu te lamentes sur tous tes malheurs, toutes tes souffrances, toutes tes douleurs, toutes tes misères… à qui tu confies tout ce que tu as sur le cœur et que tu n'oses pas révéler aux autres… » Elle règle le goutte-à-goutte. « Tu lui parles, tu lui parles. Et la pierre t'écoute, éponge tous tes mots, tes secrets, jusqu'à ce qu'un beau jour elle éclate. Elle tombe en miettes. » Elle nettoie et humecte les yeux de l'homme. « Et ce jour-là, tu es délivré de toutes tes souffrances, de toutes tes peines… comment appelle-t-on cette pierre ? » Elle arrange le drap. « À la veille de sa mort, ton père m'a fait venir, seule auprès de lui. Il agonisait. Il m'a murmuré :

Ma fille, l'ange de la mort m'est apparu, accompagné de l'ange Gabriel. Celui-ci m'a dévoilé un secret que je te confie. Maintenant, je sais où se trouve cette pierre. Elle est dans la Ka'aba, à La Mecque! Dans la maison de Dieu! Tu sais, cette Pierre Noire autour de laquelle tournent des millions de pèlerins durant la grande fête de l'Aïd. Eh bien, ce n'est pas autre chose que cette pierre dont je te parlais... Au paradis, cette pierre servait de siège à Adam... mais, après que Dieu eut chassé Adam et Ève sur terre, il l'a fait descendre pour que les enfants d'Adam puissent lui parler de leurs détresses, de leurs souffrances... Et c'est cette même pierre que l'ange Gabriel a offerte à Agar et à son fils Ismaël comme oreiller après qu'Abraham eut banni la servante et son fils dans le désert... oui, c'est une pierre pour tous les malheureux de la terre. Va là-bas! Livre-lui tes secrets jusqu'à ce qu'elle se brise... jusqu'à ce que tu sois délivrée de tes tourments. » La teinte cendreuse de la tristesse envahit ses lèvres. Elle reste un moment dans un silence de deuil.

D'une voix enrouée, elle poursuit : « Depuis des siècles et des siècles que les pèlerins se rendent à La Mecque pour tourner et prier autour de cette Pierre, je me demande vraiment comment ça se fait qu'elle n'ait pas encore explosé. » Un rire narquois fait tinter sa voix, et ses lèvres reprennent leurs couleurs : « Elle éclatera un jour, et ce jour-là ce sera la fin de l'humanité. C'est peut-être ça l'Apocalypse. »

Quelqu'un marche dans la cour. Elle se tait. Les pas s'éloignent. Elle reprend : « Tu sais quoi ?... je crois l'avoir découverte, la pierre magique... ma pierre à moi. » Les voix provenant des décombres de la maison voisine l'empêchent à nouveau de poursuivre sa pensée. Elle se lève nerveusement et va vers la fenêtre, ouvre les rideaux. Elle est pétrifiée par ce qu'elle aperçoit. Sa main couvre sa bouche. Elle reste muette. Referme les rideaux, observe la scène par les trous du ciel jaune et bleu. Elle s'exclame : « Ils enterrent les morts dans leur propre jardin... où est la vieille ? » Elle demeure immobile un bon moment. Accablée, elle retourne auprès de son homme. Elle s'allonge sur le matelas, contre sa tête. Cache ses yeux dans le creux de son bras et respire profondément, silencieusement, comme avant. À la même cadence que le souffle de l'homme.

La voix du mollah, récitant les versets du Coran pour l'enterrement, s'efface sous la pluie. Le mollah élève le ton, accélère la prière pour en finir au plus vite.

Les bruits et les chuchotements se dispersent sur les décombres détrempés.

Quelqu'un s'approche de la maison. Le voici derrière la porte. On frappe. La femme ne bouge pas. On frappe encore. « Il y a quelqu'un ? C'est moi, Mollah », s'impatiente-t-il. La femme, sourde au cri, ne bouge toujours pas. Le mollah grommelle quelques mots et s'en va. Elle se redresse pour s'asseoir contre le mur et se fige jusqu'à ce que les pas mouillés du mollah disparaissent dans la rue.

« Il faut que je parte chez ma tante. Je dois retrouver les enfants ! » Elle se lève. Reste debout un instant, juste le temps d'écouter quelques souffles de l'homme.

Avant qu'elle ait ramassé son voile, ces mots surgissent : « *Syngué sabour* ! » Elle sursaute, « voilà le nom de cette pierre : *syngué sabour*, pierre de patience ! la pierre magique ! », s'accroupit auprès de l'homme. « Oui, toi, tu es ma *syngué sabour* ! » Elle effleure son visage délicatement, comme si elle touchait réellement une pierre précieuse. « Je vais tout te dire, ma *syngué sabour*, tout. Jusqu'à ce que je me délivre de mes souffrances, de mes malheurs, Jusqu'à ce que toi, tu… » Le reste, elle le tait. Laisse l'homme l'imaginer.

Elle quitte la chambre, le couloir, la maison…

Dix souffles plus tard, elle revient, hors d'haleine. Jette son voile mouillé à terre, se rue vers l'homme. « Il y aura encore des patrouilles ce soir. De l'autre camp, je pense, cette fois-ci. Ils fouillent toutes les maisons… il ne faut pas qu'ils te trouvent… ils t'achèveront ! » Elle s'agenouille, le fixe de plus près. « Je ne les laisserai pas ! J'ai besoin de toi maintenant, ma *syngué sabour* ! » Elle va vers la porte, « je vais préparer le sous-sol », et sort de la chambre.

Une porte grince. Ses pas résonnent sur les marches de l'escalier. Soudain, elle crie, désespérée : « Oh non ! Pas ça ! » Elle remonte, paniquée. « Le sous-sol est inondé ! » Elle fait les cent pas. La main sur son front, comme si elle cherchait dans sa mémoire un endroit où cacher son homme. Ne trouve rien. Alors, ici, dans cette pièce ! D'un geste sûr, elle approche sa main du rideau vert, le tire. C'est un débarras, rempli d'oreillers, de couvertures et de matelas empilés.

Après avoir vidé l'endroit, elle étale un matelas. Trop grand, elle le replie et dispose les coussins
tout autour. Elle recule d'un pas pour mieux voir
l'aménagement – le recoin pour sa pierre précieuse. Satisfaite de son œuvre, elle s'approche de
l'homme. Avec beaucoup de soin, elle enlève le
tuyau de sa bouche, le saisit par les épaules, et le
soulève, traîne le corps, le glisse sur le matelas. Elle
l'installe presque assis, entre les coussins, face à
l'entrée de la chambre. Le regard sans expression
de l'homme reste figé quelque part, sur le kilim.
Elle raccroche la poche de perfusion au mur, réintroduit le tube dans sa bouche, referme le rideau
vert, dissimule la cachette avec les autres matelas
et couvertures. On ne soupçonne aucune présence.

« Je reviens demain », chuchote-t-elle. Au seuil
de la porte, lorsqu'elle se penche pour attraper son
voile, soudain un coup de feu, pas très loin, la
cloue sur place, la pétrifie dans son geste. Un
deuxième, encore plus proche. Un troisième... et
puis on tire de tous les côtés, dans tous les sens.

Assise par terre, ses plaintes, « mes
enfants... », n'atteignent personne, elles disparaissent dans les roulements sourds d'un char.

Accroupie, elle glisse vers la fenêtre. Par les trous du rideau, elle épie l'extérieur et cela la désespère. Un cri trempé de larmes jaillit de sa poitrine : « Dieu, protège-nous ! »

Elle s'adosse au mur qui sépare les deux fenêtres, juste au-dessous du kandjar et de la photo de son homme moqueur.

Elle gémit doucement.

Quelqu'un tire tout près de la maison. Il est probablement à l'intérieur de la cour, posté derrière le mur. La femme retient ses larmes, sa respiration. Elle soulève le bas du rideau. En apercevant une silhouette qui tire en direction de la rue, elle recule brusquement, et se rapproche prudemment de la porte.

Arrivée dans le couloir, l'ombre de l'homme armé lui interdit de bouger. « Rentre dans la chambre ! » Elle retourne dans la chambre. « Assieds-toi et ne bouge pas ! » Elle s'assoit là où son homme était allongé, et ne bouge pas. Du couloir noir émerge l'homme, coiffé d'un turban dont le pan lui cache la moitié du visage. Il envahit l'encadrement de la porte, et domine la chambre. Par la fente de son turban, son regard sombre balaie la pièce. Sans dire un mot, il s'avance vers la fenêtre et jette un coup d'œil vers la rue où l'on ne cesse de tirer. Il se retourne vers la femme pour la rassurer : « Ne crains rien, sœur. Je te protège. » Et de nouveau, il surveille les alentours. Elle n'est pas effrayée, mais désespérée. Pourtant elle affecte d'être sereine, sûre d'elle.

Assise entre les deux hommes, l'un caché derrière le turban noir, l'autre derrière le rideau vert, elle lance des regards inquiets.

L'homme armé s'accroupit sur ses talons, le doigt sur la détente.

Toujours méfiant et sur ses gardes, il détourne la tête du rideau vers la femme, et l'interroge : « Tu es seule ? » Elle, d'une voix calme, trop calme, répond : « Non. » Un temps pour enchaîner avec véhémence : « Allah est avec moi », puis pour jeter un regard vers le rideau vert.

L'homme se tait. Il toise la femme.

Au-dehors, on ne tire plus. Au loin, il n'y a plus que le vrombissement sourd du char qui s'en va.

La chambre, la cour et la rue sombrent dans un silence lourd et enfumé.

Un bruit de pas fait sursauter l'homme, qui pointe son arme vers elle, lui faisant signe de ne pas bouger. Il colle son œil dans un trou du rideau. Ses épaules tendues retombent. Il est soulagé. Il soulève le rideau et, d'une voix basse, siffle un code. Les pas s'interrompent. L'homme chuchote : « Eh, c'est moi. Viens, entre ! »

L'autre pénètre dans la chambre. Lui aussi est coiffé d'un turban dont le pan lui cache la moitié du visage. Un long châle de laine, un *patou*, enveloppe son corps mince et longiligne. Surpris par la présence de la femme, il s'assied à côté de son compagnon, qui lui demande : « Alors ? » L'autre, le regard cloué sur la femme : « Ccc'est bo... bon, iiil y a un cccessez-le-fe... feu ! » bégaye-t-il d'une voix d'adolescent en train de muer.

« Jusqu'à quand ?

– Je... Je nnne sais pas ! » répond l'autre, toujours absorbé par la présence de la femme.

« Bon, maintenant, va monter la garde ! On campe ici cette nuit. »

Le jeune ne proteste pas. Les yeux toujours fixés sur la femme, il demande : « Uuune ci... cigarette » que le premier lui jette pour s'en débarrasser au plus vite. Lui-même, après avoir découvert complètement son visage barbu, en allume une.

Avant de franchir le seuil, le garçon jette un dernier regard ahuri vers la femme, et, à contre-cœur, disparaît dans le couloir.

La femme demeure à sa place. Elle observe chaque geste de l'homme avec une méfiance qu'elle tente toujours de dissimuler. « Tu n'as pas peur d'être toute seule ? » lui demande l'homme, en expirant la fumée. Elle hausse les épaules. « Ai-je le choix ? » L'homme, après avoir aspiré une longue bouffée, s'enquiert : « Tu n'as personne pour s'occuper de toi ? » La femme lance un regard vers le rideau vert. « Non, je suis veuve !

– De quel camp ?

– Du vôtre, je suppose. »

L'homme n'insiste plus. Il tire encore profondément une bouffée, et reprend : « Tu as des enfants ?

– Oui. Deux… deux filles.

– Où sont-elles ?

– Chez ma tante.

– Et toi, pourquoi tu es là ?

– Pour travailler. Il faut que je gagne ma vie, que je nourrisse mes deux enfants.

– Et qu'est-ce que tu fais comme travail ? »

La femme le regarde droit dans les yeux, et lui assène : « Je gagne ma vie à la sueur de mon corps.

– Quoi ? » demande-t-il, confus.

La femme, d'un ton qui ne trahit aucune pudeur : « Je vends ma chair.

– C'est quoi cette connerie ?

– Je vends ma chair, comme vous vendez votre sang.

– Qu'est-ce que tu chantes ?

– Je vends ma chair pour donner du plaisir aux hommes ! »

L'homme, sursautant de rage, éructe : « *Allah, Al-Rahman ! Al-Mu'min !* Protège-moi !

– Contre qui ? »

La fumée de cigarette sort violemment de la bouche de l'homme qui invoque encore son Dieu : « Au nom d'Allah ! », chasse le diable, « protège-moi de Satan ! », avale une grande bouffée de cigarette qui va s'échapper avec des mots enragés : « Mais tu n'as pas honte de dire ça ?!

– De le dire ou de le faire ?

– Tu es musulmane, ou non ?!

– Je suis musulmane

– On te lapidera ! On te brûlera vive dans le feu de l'enfer ! »

Il se lève et récite un long verset du Coran. La femme est toujours assise. Elle le regarde d'un air moqueur. Avec défi, le toisant de la tête aux pieds, des pieds à la tête. Lui, il bave. La fumée de la cigarette voile la fureur de sa barbe, la noirceur de ses yeux. Sombre, il s'avance. Et, pointant son arme vers la femme, il braille : « Je te tue, salope ! » Le canon se pose sur son ventre. « Je vais exploser ta chatte pourrie ! Sale pute ! Satan ! » Il lui crache au visage. La femme ne bouge pas. Elle nargue l'homme. Impassible, elle semble l'inciter à tirer.

L'homme serre les dents, émet un cri strident et quitte la maison.

La femme reste impavide jusqu'à ce qu'elle entende l'homme sortir dans la cour, héler l'autre : « Viens, on dégage d'ici. C'est une maison impie ! », et la fuite de leurs pas dans la rue boueuse.

Elle ferme les yeux, soupire, expire l'air enfumé de la chambre qu'elle a gardé longtemps dans sa poitrine. Un sourire de triomphe s'esquisse sur ses lèvres sèches. Après un long regard vers le rideau vert, elle déplie son corps et s'approche de son homme. « Pardonne-moi ! » chuchote-t-elle. « J'étais obligée de lui dire ça, sinon, il m'aurait violée. » Un rire sarcastique la secoue. « Pour les hommes comme lui, baiser, violer une pute, ce n'est pas un exploit. Mettre sa saleté dans un trou qui a déjà servi avant lui des centaines de fois ne procure aucune fierté virile. N'est-ce pas, ma *syngué sabour*? Ça, tu dois le savoir. Les hommes comme lui ont peur des putes. Et tu sais pourquoi? Je vais te le dire, ma *syngué sabour* : en baisant une pute, vous ne dominez plus son corps. Vous êtes dans l'échange. Vous lui donnez de l'argent, elle vous donne du plaisir. Et je peux te le dire, souvent c'est elle qui vous domine. C'est elle qui vous baise. » Elle se calme. D'une voix sage, elle poursuit : « Donc, violer une pute, ce n'est pas un viol. Mais voler la virginité d'une fille, violer l'honneur d'une femme! Voilà votre credo! » Elle s'arrête, laisse s'écouler un long moment pour que son homme – s'il le peut, ce qu'elle espère – médite sur ses paroles.

Elle enchaîne : « Ma *syngué sabour*, tu n'es pas d'accord? » Elle s'approche encore du rideau, déplace légèrement les matelas qui dissimulent la cachette. Elle regarde son homme droit dans ses yeux vitreux, et dit : « J'espère quand même que tu arrives à saisir, à absorber tout ce que je te dis, ma *syngué sabour.* » Sa tête dépasse légèrement du rideau. « Peut-être que tu te demandes d'où je peux tenir tout cela ! Oh, ma *syngué sabour*, j'ai tant de choses à te dire encore... » Elle recule. « Des choses qui se sont entassées depuis un certain temps en moi. Nous n'avons jamais eu l'occasion d'en parler. Ou, soyons sincères, tu ne m'as jamais donné l'occasion d'en parler. » Elle prend une pause, le temps d'un souffle, pour se demander par où et par quoi commencer. Mais le cri du mollah convoquant les fidèles à se prosterner devant leur Dieu à l'heure du crépuscule l'affole, et repousse ses secrets en elle. Elle se lève brusquement, « Que Dieu me coupe la langue ! la nuit va tomber ! mes enfants ! », et se hâte pour lever le rideau aux motifs d'oiseaux migrateurs. Derrière le voile gris de pluie, tout a replongé dans une ambiance sombre et morose.

Le temps de vérifier une dernière fois les intervalles des gouttes d'eau sucrée-salée, de ramasser son voile, de fermer les portes et d'arriver dans la cour, c'est déjà trop tard. L'appel à la prière terminé, le mollah décrète le couvre-feu dans le quartier, et demande de respecter la trêve.

Les pas de la femme se suspendent sur le sol mouillé.

Ils hésitent.

Ils sont perdus.

Ils rebroussent chemin.

La femme rentre dans la chambre.

Contrariée, elle jette son voile à terre et, lasse, se laisse choir sur le matelas occupé jadis par le corps de son homme. « Mes filles, je les laisse dans les mains d'Allah ! » En récitant un verset du Coran, elle tente de se convaincre du pouvoir de Dieu pour protéger ses filles. Et puis, s'abandonnant à l'obscurité de la chambre, elle s'allonge. Le regard, perçant les ombres, reste rivé en direction des matelas. Derrière les matelas, le rideau vert. Derrière le rideau, son homme, sa *syngué sabour*.

Un coup de feu, loin. Puis un autre, près. Et ainsi cesse le cessez-le-feu.

La femme se redresse, puis va vers le rideau vert uni. Elle déplace les matelas, mais n'écarte pas le rideau. « Je dois donc rester ici. J'ai pour moi toute une nuit à te parler, ma *syngué sabour*. Mais déjà, de quoi est-ce que je te parlais avant que ce crétin de mollah ne braie ? » Elle se concentre. « Ah, oui, tu te demandais d'où je pouvais sortir toutes ces réflexions. C'était ça, n'est-ce pas ? J'ai eu deux maîtres dans ma vie, ma tante et ton père. De ma tante, j'ai appris comment vivre avec les hommes, et de ton père pourquoi vivre avec eux. Ma tante... » Elle écarte un peu le rideau. « Tu ignorais tout d'elle. Et heureusement ! Sinon, tu l'aurais chassée immédiatement. Maintenant je peux tout te raconter. Elle est la seule sœur de mon père. Quelle femme ! J'ai grandi dans sa douceur. Je l'aimais plus que ma mère. Elle était généreuse. Belle. Très belle. Grand cœur. C'est elle qui m'a appris à lire, à vivre... mais elle a eu un destin tragique. Elle a été mariée à un minable qui était très riche. Un homme puant. Bourré de sale fric. Deux ans de mariage ont passé et ma tante n'a pas pu enfanter pour lui. Je dis pour lui, car c'est ce que vous, les hommes, avez dans la tête. Bref, ma tante était stérile. Autrement dit : bonne à rien. Alors son mari l'a envoyée en province chez ses parents pour les servir. Puisqu'elle était stérile et belle, son beau-père la baisait tranquillement, en toute sécurité. Jour et nuit. Un beau jour, elle a enfin craqué. Elle lui a fendu le crâne. On l'a chassée de la maison de ses beaux-parents. Son mari aussi l'a rejetée. Sa propre famille, y compris mon père, l'a abandonnée. Alors elle, la "sale tache" de la famille, a disparu, laissant un mot pour dire qu'elle avait mis fin à sa vie. Corps immolé, tombé en cendres! Sans aucune trace. Aucune tombe. Et ça a, bien sûr, arrangé tout le monde. Pas d'obsèques. Pas de funérailles pour cette "garce"! Moi, j'ai été la seule à pleurer. J'avais quatorze ans à l'époque. Je pensais à elle sans cesse. » Elle s'arrête, incline sa tête, ferme les yeux comme si elle rêvait d'elle en ce moment même.

Après quelques souffles, comme en songe, elle reprend : « Il y a plus de sept ans, juste avant que tu ne rentres de la guerre, je me promenais avec ta mère au marché. Je me suis arrêtée chez le marchand de sous-vêtements. Une voix connue m'est parvenue aux oreilles. Je me suis retournée. Et j'ai vu ma tante! Pendant un instant, j'ai cru que c'était une hallucination. Mais non, c'était bien elle. Je l'ai appelée par son prénom, mais elle a fait comme si ce n'était pas le sien, comme si elle ne me connaissait pas. Mais moi, j'en étais sûre et certaine. Mon sang me disait que c'était elle. Alors je me suis éloignée de ta mère, comme si je l'avais perdue. Je me suis mise à poursuivre ma tante. Je ne l'ai pas lâchée d'une semelle jusqu'à sa maison. Je l'ai arrêtée devant la porte. Elle a éclaté en sanglots. Elle m'a prise dans ses bras, et m'a emmenée chez elle. Elle vivait à l'époque dans une maison close. » Elle reste silencieuse pour que son homme, derrière le rideau vert, inspire, expire quelques souffles. Et elle aussi.

Dans la ville, on tire toujours. De loin, de près, sporadiquement.

Dans la chambre, tout est noyé dans la nuit.

Disant « j'ai faim », elle se lève et part à l'aveuglette dans le couloir, puis dans la cuisine pour chercher quelque chose à manger. Elle allume d'abord une lampe qui éclaire en partie le couloir et faiblement la chambre. Ensuite, après le claquement des portes de quelques placards, elle revient. Un quignon de pain dur de plusieurs jours, et un bulbe d'oignon dans une main, la lampe-tempête dans l'autre. Elle reprend sa place auprès de son homme, à côté du rideau vert qu'elle écarte sous la lumière jaunâtre de la lampe pour vérifier si sa *syngué sabour* n'a pas éclaté. Non. Elle est toujours là. En un seul morceau. Les yeux ouverts. L'air moqueur, même avec ce tuyau enfoui dans sa bouche lamentablement entrouverte. Sa poitrine se gonfle et se dégonfle toujours, miraculeusement, à la même cadence qu'auparavant.

« Et aujourd'hui, c'est cette tante qui m'a recueillie. Elle aime mes enfants. Et les filles l'aiment aussi. C'est pourquoi je me fais moins de souci. » Elle épluche l'oignon. « Elle leur raconte beaucoup d'histoires… comme elle faisait avant. Moi aussi, j'ai grandi avec ses histoires. » Elle met une écaille d'oignon sur un bout de pain, et enfourne le tout dans sa bouche. Le craquement du pain sec se mélange à la douceur de sa voix : « L'autre soir, elle a voulu conter une histoire singulière que sa mère nous racontait. Je l'ai suppliée de ne pas la répéter à mes filles. C'est un conte très troublant. Cruel. Mais au pouvoir magique ! Mes filles sont encore trop petites pour le comprendre. » Elle boit une gorgée d'eau dans le verre qu'elle a apporté pour humecter les yeux de son homme.

« Tu sais que dans notre famille, il n'y avait que des filles. Sept filles ! Et aucun garçon ! Ce qui rendait nos parents furieux. C'est à cause de ça que la grand-mère nous faisait ce récit, à mes sœurs et à moi. Longtemps, j'ai cru qu'elle l'avait inventé pour nous. Mais ma tante m'a dit que cette histoire, elle l'avait entendue la première fois de la bouche de son arrière grand-mère. »

Une deuxième écaille d'oignon sur un deuxième bout de pain.

« Quoi qu'il en soit, notre grand-mère, nous mettait tout d'abord en garde en disant que son histoire était un conte magique qui pourrait apporter soit du bonheur soit du malheur dans notre vraie vie. Cet avertissement nous faisait peur, mais en même temps nous excitait. Sa belle voix résonnait alors avec le battement de nos cœurs : *Il était, il n'était pas, un roi. Un roi charmant. Un roi courageux qui, cependant, avait dans la vie un seul impératif, mais de taille : n'avoir jamais de fille. La nuit de ses noces, les astrologues lui avaient prédit que si jamais sa femme enfantait une fille, celle-ci déshonorerait la couronne. Ironie du sort, sa femme ne mettait au monde que des filles. À chaque naissance, le roi ordonnait donc au bourreau de tuer la nouveau-née !* »

Emportée par ses souvenirs, la femme a pris les traits d'une vieille dame – ceux de sa grand-mère, sans doute –, qui conte cette histoire à ses petits enfants.

« *Le bourreau tua la première fille, ainsi que la deuxième. À la troisième, il fut arrêté par une petite voix qui sortait de la bouche de la nouveau-née. Elle l'implorait de prévenir sa mère que si elle la gardait en vie, la reine aurait son propre royaume! Troublé par cette parole, le bourreau se rendit discrètement auprès de la souveraine et lui raconta ce qu'il avait vu et entendu. La reine, sans dire un mot au roi, partit sur-le-champ voir cette nouveau-née dotée de parole. Tout émerveillée et effrayée à la fois, elle demanda au bourreau de préparer une charrette pour fuir loin du pays. À minuit précis, la reine, sa fille et le bourreau quittèrent clandestinement la ville pour des contrées lointaines.* »

Rien ne la détourne de son récit, pas même les coups de feu qui sont tirés non loin de la maison. « *Le roi, furieux de cette fuite soudaine, partit à la conquête des terres lointaines, afin de retrouver sa femme.* La grand-mère marquait toujours une pause à cet endroit précis du récit. Elle posait l'éternelle question : *Était-ce pour retrouver sa femme ou bien pour la traquer?* »

Elle sourit. Peut-être comme souriait sa grand-mère. Et reprend :

« *Des années s'écoulèrent. Lors d'une de ses conquêtes, un petit royaume où gouvernait une reine juste, valeureuse et pacifique lui résista. Le peuple se refusait à l'intrusion de ce roi étranger. Ce roi arrogant! Alors, le roi ordonna d'incendier le pays. Les vizirs du royaume conseillèrent à la reine de le rencontrer et de négocier avec lui. Mais la reine s'opposa à cette entrevue. Elle affirmait qu'elle préférait plutôt incendier elle-même son royaume que de se rendre à cette négociation. Alors, sa fille, très appréciée par la cour et le peuple, non seulement pour sa beauté hors du commun, mais aussi pour son intelligence et sa bonté exceptionnelles, demanda à sa mère de lui permettre d'aller rencontrer le roi. La reine, en entendant sa fille, devint comme folle. Elle se mit à crier, maudissant à haute voix le monde entier. Elle ne dormait plus. Elle errait dans le palais. Elle interdit à sa fille de sortir de sa chambre et d'intervenir. Personne n'arrivait à la comprendre. Chaque jour qui passait, le royaume sombrait un peu plus dans un immense désastre. La nourriture et l'eau se faisaient rares. Sa fille, qui ne comprenait pas plus que les autres l'état de sa mère, décida alors de rencontrer le roi malgré l'interdiction. Une nuit, à l'aide de sa confidente, elle se rendit sous sa tente. Devant cette beauté céleste, le roi tomba fou amoureux de la princesse. Il lui proposa ceci : il renoncerait à ce royaume si elle l'épousait. La princesse, elle aussi sous le charme, accepta. Ils passèrent la nuit ensemble. Au petit matin, elle s'en retourna, toute victorieuse, au château pour raconter à sa mère son rendez-vous avec le roi. Fort heureusement, elle ne lui avoua pas qu'elle avait aussi passé la nuit sous sa tente. La reine, rien qu'en apprenant que sa fille avait vu le roi, fut aux abois. Elle était prête à subir tous les malheurs du monde, mais pas celui-là! Anéantie, elle hurlait : "Fatalité! Maudite fatalité!" Et elle s'évanouit. Sa fille, qui ne comprenait toujours rien de ce qui se passait dans la tête de sa mère, s'adressa à l'homme qui avait accompagné la reine tout au long de sa vie, et l'interrogea sur la cause de son état. Il lui livra alors cette histoire : "Chère princesse, comme tu le sais, je ne suis pas ton père. En vérité, tu es la fille de ce roi conquérant! Moi, je n'étais que son bourreau..." Il lui dévoila toute la vérité, et finit par cette conclusion énigmatique : "Voilà, ma princesse, notre destin. Si on avoue la vérité au roi, nous serons tous, selon la loi, condamnés à la pendaison. Et tous les sujets de notre royaume seront ses esclaves. Si nous nous opposons à son exigence, notre royaume sera incendié. Et si tu l'épouses, vous commettrez l'inceste, péché impardonnable! nous serons tous maudits et punis par notre Seigneur."* La grand-mère s'arrêtait à ce moment de l'histoire. On lui demandait de nous raconter la suite, elle nous disait : *Hélas, mes petites filles, je ne connais pas la fin de cette histoire. Et jusqu'à présent, personne ne la connaît. On dit que celui ou celle qui la trouvera aura une vie préservée de tout malheur.* Pas vraiment convaincue, je lui disais alors que, si personne ne connaissait la fin de cette histoire, on ne pouvait pas savoir quelle fin serait la bonne. Elle riait tristement et m'embrassait sur le front : *C'est ça que l'on appelle le mystère, ma petite. Toute fin est possible, mais savoir celle qui est bonne et juste… C'est là où réside le mystère.* Je lui demandais ensuite si cette histoire était vraie ou non. Elle me répondait : *Je te l'ai dit : "Il était, il n'était pas…"* Ma question, c'était celle qu'elle aussi, quand elle était petite, posait à sa grand-mère, et à laquelle celle-ci répondait : *C'est ça tout le mystère, ma petite, c'est ça tout le mystère.* Durant des années, cette histoire m'a hantée. Elle m'empêchait de dormir. Chaque nuit, au lit, je suppliais Dieu de me souffler la fin de ce conte ! Une fin heureuse pour que je puisse avoir une vie heureuse ! Je me racontais tout et n'importe quoi. Dès que je trouvais une idée, je me précipitais vers ma grand-mère pour la lui dire. Elle haussait les épaules et disait : *C'est possible, ma fille. C'est possible. Tu verras au long de ta vie si tu as juste ou non. C'est ta vie qui te le dira. Mais quoi que tu trouves, ne le dis plus jamais à personne. Jamais ! Car, comme dans tout conte magique, tout ce que tu dis peut arriver. Donc, veille à garder cette fin pour toi.* »

Elle mange. Un morceau de pain, une écaille d'oignon. « Une fois j'ai demandé à ton père s'il connaissait cette histoire. Il a dit que non. Alors, je la lui ai racontée. À la fin, après un long silence, il a poursuivi avec ces mots doux : *Mais, ma fille, c'est une illusion de penser trouver une fin heureuse à cette histoire. Il ne peut pas y en avoir. Puisque l'inceste a été commis, la tragédie est inévitable.* »

Dans la rue, on entend quelqu'un crier : « Halte ! » Puis un coup de feu.

Et la fuite des pas.

La femme continue : « Bref, ton père m'a fait perdre mes illusions. Mais, quelques jours plus tard, un matin tôt, alors que je lui apportais son petit déjeuner, il m'a priée de m'asseoir à côté de lui pour me parler de ce conte. En égrenant chaque mot, il a repris : *Ma fille, j'ai beaucoup réfléchi. En effet, il peut exister une issue heureuse.* J'aurais voulu presque me jeter dans ses bras, lui baiser les mains et les pieds pour qu'il me livre cette fin. Mais je me suis, bien évidemment, retenue. J'ai oublié ta mère et son petit déjeuner, je me suis assise devant lui. À cet instant, tout mon corps n'était qu'une oreille géante, ignorant toutes les autres voix, tous les autres bruits. Il n'y eut que la voix tremblante et sage de ton père qui, après une lampée bruyante de thé, me confia : *Pour avoir une fin heureuse, cette histoire, ma fille, comme dans la vie, exige un sacrifice. Autrement dit, le malheur de quelqu'un. N'oublie jamais : chaque bonheur engendre deux malheurs. – Et pourquoi ?!* me suis-je étonnée naïvement. Avec ses mots simples, il m'a répondu : *Ma fille, malheureusement, ou heureusement, tout le monde ne peut pas accéder au bonheur, que ce soit dans la vie ou dans une histoire. Le bonheur des uns engendre du malheur chez les autres. C'est triste, mais c'est ainsi. Dans ce conte, il te faut donc malheur et sacrifice pour que tu parviennes à une fin heureuse. Mais ton amour de toi-même, et l'amour que tu portes à tes proches, t'empêchent d'y réfléchir. Cette histoire exige un meurtre. Le meurtre de qui ? Avant de répondre, avant de tuer quelqu'un, il faut que tu te poses une autre question : Qui désires-tu voir heureux, vivant ? Le Père-roi ? La Mère-reine ? Ou la Fille-princesse ? Dès que tu poses cette question, tout change, ma fille. En toi et dans cette histoire. Pour cela, il faut que tu te débarrasses de trois amours : l'amour de toi-même, l'amour du père et l'amour de la mère ! – Pourquoi ?* lui ai-je demandé. Il m'a regardée longuement et silencieusement avec ses yeux clairs qui brillaient derrière ses lunettes. Il cherchait sans doute des mots compréhensibles pour moi : *Si tu es du côté de la fille, l'amour que tu te portes t'empêche d'imaginer le suicide de la fille. De même, l'amour du père ne t'autorise pas à envisager que la fille puisse accepter le mariage et que, pendant la nuit de noces, elle tue son propre père dans le lit nuptial. Enfin l'amour maternel t'interdit de songer au meurtre de la reine pour permettre à sa fille de vivre avec le roi, tout en lui dissimulant la vérité.* Il m'a laissée quelques instants réfléchir. Il a bu encore une longue gorgée de thé et a poursuivi : *De la même façon, si moi, en tant que père, je donnais une fin à cette histoire, ce serait la stricte application de la loi. J'ordonnerais de décapiter la reine, la princesse et le bourreau afin que les traîtres soient châtiés et que soit enterré à jamais le secret de l'inceste.* Je lui ai demandé : *Que proposera-t-elle, la mère ?* Après un petit sourire qui lui appartenait, il m'a dit : *Ma fille, je ne connais rien de l'amour maternel et ne peux te proposer sa solution. Toi-même, tu es maintenant mère ; c'est à toi de me dire ce qu'il en est. Mais mon expérience de la vie me dit qu'une mère telle la reine préférerait que son royaume soit anéanti et son peuple mis en esclavage plutôt que de dévoiler son secret. La mère agit selon la morale. Elle interdit à sa fille de se marier avec son père.* Mon Dieu que c'était troublant d'entendre ces paroles de sagesse. Moi qui cherchais absolument une issue clémente, je lui ai demandé si elle pouvait exister. Il a d'abord dit oui – ce qui m'a réconfortée –, mais très vite, il m'a apostrophée : *Ma fille, dis-moi, dans cette histoire, qui a le pouvoir de pardonner ?* J'ai répondu innocemment : *le père.* En hochant la tête, il a dit : *Mais ma fille, le père, qui a tué ses propres enfants, qui, lors de ses conquêtes, a détruit villes et populations, qui a commis l'inceste, est aussi coupable que la reine. Quant à elle, elle a trahi le roi, la loi, certes, mais n'oublie pas qu'elle-même a été trompée par sa fille nouveau-née et par le bourreau.* Désespérée, avant de le quitter, j'ai conclu : *Alors, il n'y a aucune fin heureuse !* Il m'a dit : *Si. Mais, comme je te l'ai dit, à condition de se résigner à un sacrifice et de renoncer à trois choses : l'amour de soi, la loi du père et la morale de la mère.* Interloquée, j'ai demandé si cela lui semblait réalisable. Il m'a répondu tout simplement : *Il faut essayer, ma fille.* Troublée par cette discussion, des mois et des mois durant, je ne pensais qu'à cela. Je me suis aperçue que mon trouble venait d'une seule chose : la véracité de son propos. Ton père connaissait vraiment les choses de la vie. »

Encore un morceau du pain et une écaille d'oignon qu'elle avale difficilement.

« Quand je pense à ton père, je déteste de plus en plus ta mère. Elle l'a laissé reclus dans une petite chambre humide où il dormait sur une natte de jonc. Tes frères le traitaient comme un fou. Tout simplement parce qu'il était parvenu à une grande sagesse. Personne ne le comprenait. Au début, moi aussi, j'avais peur de lui. Non pas à cause de ce que rabâchaient ta mère et tes frères à son propos, mais par le souvenir de ce que ma tante avait subi avec son beau-père. Cependant, peu à peu je me suis rapprochée de lui. Avec beaucoup de crainte. Mais en même temps avec une curiosité obscure. Indéfinissable. Une curiosité presque excitante ! C'était peut-être cette partie en moi, hantée par ma tante, qui me poussait vers lui. Une envie de vivre la même expérience qu'elle. C'est effrayant, non ? »

Émue et pensive, elle finit son oignon et son pain rassis.
Elle souffle pour éteindre la lampe.
Elle s'allonge.
Et dort.

Lorsque les armes se lassent et se taisent, l'aube arrive. Grise et silencieuse.

Quelques souffles après l'appel à la prière, un bruit de pas indécis retentit dans l'allée boueuse de la cour. Quelqu'un s'approche de la maison et frappe à la porte d'entrée du couloir. La femme ouvre les yeux. Attend. On frappe encore. Elle se lève. Somnolente. Elle va vers la fenêtre pour voir qui est celui qui n'ose pas entrer sans frapper.

Dans la brume plombée de l'aube, elle distingue une ombre enturbannée et armée. Le « Oui ? » émis par la femme attire la silhouette vers la fenêtre. Visage caché derrière le pan de son turban, sa voix, plus fragile que sa silhouette, bégaye : « Jjje pppeux… en… entrer ? » C'est la voix éraillée d'un adolescent, la même qu'hier. La femme tente de deviner ses traits. Mais la faible lumière grise l'empêche de le reconnaître. Elle acquiesce d'abord d'un signe de tête, puis ajoute : « La porte est ouverte. » Elle, elle reste à sa place, près de la fenêtre, suivant du regard la trajectoire de la silhouette le long des murs, dans le couloir, au seuil de la porte. Le même vêtement. La même manière de se tenir dans l'embrasure. La même timidité. C'est lui. Sans aucun doute. Le même garçon que la veille. Elle attend, interrogative. Le garçon a du mal à pénétrer dans la pièce. Cloué dans l'encadrement de la porte, il tente de demander : « Ccc'est com... combien ? » La femme ne comprend pas un mot de ce qu'il marmonne.

« Qu'est-ce que tu veux ?

– Ccc'est... » La voix s'éraille. Le débit s'accélère : « Co... co... combien ? », vainement.

Retenant son souffle, la femme fait un pas vers le garçon. « Écoute, je ne suis pas ce que tu crois. Je... » Elle est interrompue par le cri du garçon, violent d'abord : « La... la... ffferme ! », calme ensuite : « Ccc'est com... combien ? » Elle tente de reculer, mais le canon du fusil juste sur son ventre l'interdit. Laissant le garçon s'apaiser, elle reprend doucement : « Je suis une mère... » Mais le doigt du garçon, tendu sur la détente, l'empêche de poursuivre. Résignée, elle demande : « Tu as combien sur toi ? » Tremblant, il sort de sa poche quelques billets et les jette à ses pieds. La femme recule d'un pas et se tourne légèrement pour surveiller d'un regard furtif la cachette. Le rideau vert est un peu entrouvert. Mais l'obscurité ne permet pas d'y soupçonner la présence de l'homme. Elle se glisse à terre. Dos au sol et regard vers son homme, elle s'allonge et écarte les jambes. Et attend. Le garçon est paralysé. « Bon, viens et finis-en vite ! » s'impatiente-t-elle.

Il dépose son arme au pied de la porte, puis, à pas incertains, vient se mettre debout au-dessus d'elle. Un frisson intérieur saccade son souffle. La femme ferme les yeux.

D'un geste brusque, il se jette sur elle. « Douce-ment ! » suffoque la femme. Surexcité, le garçon agrippe maladroitement ses jambes. Elle demeure pétrifiée, transie sous les battements frénétiques de ce jeune corps malhabile qui, la tête enfouie dans sa chevelure, tente vainement de lui enlever son panta-lon. Elle finit par le faire elle-même. Lui baisse le sien. Et dès que son sexe effleure ses cuisses, il émet un gémissement sourd, étouffé dans les cheveux de la femme qui, toute pâle, garde les yeux fermés.

Il ne bouge plus. Elle non plus.
Il respire lourdement. Elle aussi.

Il y a un instant d'immobilité totale avant qu'une légère brise ne soulève et n'étire les rideaux. La femme ouvre enfin les yeux. Sa voix, faible mais clémente, chuchote : « C'est fini ? » Le cri blessé du garçon l'ébranle : « La... la... ffferme ! » Il n'ose pas lever la tête, toujours enfouie dans les cheveux noirs de la femme. Sa respiration est de moins en moins violente.

La femme, silencieuse, lance un regard infiniment triste vers la fente du rideau vert.

Les deux corps entrelacés, scellés au sol, restent figés encore un long moment. Puis un nouveau souffle de vent crée un léger mouvement dans cette masse de corps. C'est la main de la femme qui se meut. Elle caresse discrètement le garçon.

Lui ne proteste pas. Elle continue de le caresser. D'une tendresse maternelle. « Ce n'est pas grave », le console-t-elle. Aucune réaction de la part du garçon. Elle insiste : « Cela peut arriver à tout le monde. » Prudemment : « C'est... la première fois ? » Après un long silence de trois souffles, lents, il secoue la tête, toujours enfoncée dans les cheveux de la femme, pour acquiescer timidement et désespérément. La main de la femme remonte vers la tête du garçon, et touche son turban. « Il fallait bien commencer un jour. » Elle jette un coup d'œil aux alentours pour repérer l'arme. Elle est loin. Revient à lui qui reste toujours dans la même position. Elle bouge délicatement ses jambes. Aucune résistance. « Bon, on se lève ? » Il ne répond pas. « Je te l'ai dit, ce n'est pas grave... je vais t'aider. » Et doucement elle soulève son épaule droite pour se mettre de côté et se débarrasser du corps brisé du garçon. Cela fait, elle cherche à remonter son pantalon, en nettoyant d'abord ses cuisses avec le bas de sa robe, et s'assoit. Le garçon bouge enfin aussi. Évitant de croiser le regard de la femme, il tire son pantalon et s'assoit dos à elle, regard rivé vers son fusil. Son turban est défait. Son visage découvert. Il a les yeux clairs, grands, aux contours charbonneux dessinés au khôl. Il est beau. Visage mince, bien lisse. Il est presque imberbe. Ou bien très jeune. « Tu as de la famille ? » lui demande la femme avec une voix blanche. Le garçon fait non, et remet son turban rapidement en dissimulant la moitié de son visage. Puis, d'un geste brusque, il se lève pour reprendre son arme et s'enfuir de la maison à toutes jambes.

La femme est toujours assise à la même place. Elle reste là pendant un long moment. Sans regarder vers le rideau vert. Ses yeux s'embuent de larmes. Son corps se replie. Elle prend ses genoux entre ses bras, enfouit sa tête, et crie. Un seul cri, déchirant.

Une brise se lève – comme une réplique à son cri –, soulevant le rideau pour laisser la brume grise envahir la chambre.

La femme se redresse. Lentement. Elle ne se lève pas. Elle ne lève toujours pas son regard vers le rideau vert. Elle n'ose pas.

Son regard fixe les billets froissés qui se dispersent sous la brise.

Le froid ou l'émotion, les larmes ou la terreur saccadent son souffle. Elle tremble.

Elle se met debout enfin, et se hâte de disparaître dans le couloir, dans la salle d'eau. Elle se lave, change de robe. Réapparaît. Parée de vert et de blanc. L'air plus serein.

Elle ramasse l'argent et va reprendre sa place auprès de la cachette. Referme la fente, sans croiser le regard égaré de l'homme.

Après quelques souffles silencieux, un rire amer se dégage soudainement de ses entrailles et fait frissonner ses lèvres. « Et voilà... ça n'arrive pas qu'aux autres ! Tôt ou tard, il fallait que ça nous arrive aussi... »

Elle compte les billets, « le pauvre », les met dans sa poche. « Il y a des moments où j'ai l'impression que c'est dur d'être un homme. Non ? » Elle marque un temps d'arrêt. Pour réfléchir ou attendre une réponse. Reprend avec le même sourire forcé : « Ce garçon m'a fait penser à nos débuts à nous… tu m'excuses de te le dire comme ça. Tu me connais… mes souvenirs m'attaquent toujours là où je ne les attends pas. Ou quand je ne les attends plus. Quoi que je fasse, ils m'assaillent. Les bons ou les mauvais. Ça crée des moments risibles. Comme tout à l'heure… alors que le garçon était en plein désarroi, tout d'un coup nos premières nuits de noces tardives ont surgi devant moi… Je te le jure, j'ai pensé à toi involontairement. Toi aussi, tu étais maladroit comme ce garçon. Bien sûr, à l'époque, je n'y connaissais rien. Je croyais que c'était comme ça qu'il fallait faire, comme tu le faisais, toi. Mais souvent j'avais l'impression que tu n'étais pas content. Je me sentais coupable alors. Je me disais que c'était à cause de moi, que je ne savais pas comment m'y prendre. Au bout d'un an, j'ai découvert que non, tout venait de toi. Tu ne savais rien donner. Rien. Rappelle-toi le nombre de nuits où tu m'as baisée en me laissant à ma… à mon désarroi… Ma tante n'a pas tort de dire que ceux qui ne savent pas faire l'amour, font la guerre. » Elle s'interdit de poursuivre.

Elle prend une longue pause. Puis soudain : « Mais, dis-moi, qu'est-ce que la jouissance pour toi ? Voir jaillir ta saleté ? Voir jaillir du sang en déchirant le *rideau de vertu* ? »

Elle baisse la tête, et se mord la lèvre inférieure. Avec rage. La colère s'empare de sa main, la serre, la transforme en poing qui s'écrase contre le mur. Elle geint.

Se tait.

« Pardon !... c'est... c'est la première fois que je te parle ainsi... j'ai honte. Je ne sais vraiment pas d'où ça sort. Avant, je ne pensais jamais à tout cela. Crois-moi. Jamais ! » Un temps, puis elle reprend : « Même quand je te voyais, toi, être le seul à jouir, ça ne me déplaisait pas du tout. Au contraire, je m'en réjouissais. Je me disais que c'était cela notre nature. C'était cela notre différence. Vous les hommes, vous jouissez, et nous les femmes, nous nous en réjouissons. Cela me suffisait. Et c'était à moi toute seule de me donner du plaisir en me... touchant. » Sa lèvre saigne. Son annulaire l'essuie, puis sa langue. « Une nuit, tu m'as surprise. Tu dormais. Moi, dos à toi, je me caressais. Mon halètement t'a peut-être réveillé. En sursautant, tu m'as demandé ce que je faisais. J'avais chaud, et je tremblais… Alors, je t'ai dit que j'avais de la fièvre. Tu m'as crue. Mais tu m'as envoyée quand même dormir dans l'autre pièce avec les enfants. Quel salaud ! » Elle se tait par peur ou pudeur. Une rougeur apparaît sur ses joues, qui gagne doucement son cou. Son regard se cache derrière ses paupières qui se ferment rêveusement.

Légère, elle se lève. « Bon, je dois y aller. Les enfants et ma tante doivent s'inquiéter ! »

Avant de partir, elle remplit la poche de perfusion d'eau sucrée-salée, recouvre son homme, referme les portes et disparaît sous le voile, dans la rue.

La chambre, la maison, le jardin, tout, enveloppé de brume, disparaît sous cette chape grise et morose.

Rien ne se passe. Rien ne bouge, à part cette araignée qui s'est installée depuis quelque temps dans les poutres pourrissantes du plafond. Elle est lente. Indolente. Après un bref tour sur le mur, elle retourne à sa toile.

Au-dehors :
Un temps on tire.
Un temps on prie.
Un temps on se tait.

Au crépuscule, quelqu'un frappe à la porte du couloir.
Aucune voix ne l'invite.
Il insiste.
Aucune main ne lui ouvre la porte.
Il s'en va.

La nuit vient et repart. Elle emporte les nuages et la brume avec elle.

Le soleil est de retour. Avec ses rais de lumière, il amène la femme dans la chambre.

Après avoir balayé du regard la pièce, elle sort d'un sac une nouvelle poche de perfusion et un nouveau flacon de collyre. Elle va directement écarter le rideau vert pour retrouver son homme. Il a les yeux à demi ouverts. Elle lui retire le tuyau de la bouche, l'allonge davantage, et lui instille les gouttes dans les yeux. Une, deux ; une, deux. Ensuite, elle quitte la chambre pour revenir avec la bassine en plastique remplie d'eau, une serviette et des vêtements. Elle lave son homme, le change, le réinstalle dans son coin.

Lui retroussant soigneusement la manche, elle nettoie d'abord le creux de son bras où elle plante le cathéter, dose le stilligoutte, puis repart avec tout ce qu'elle doit emporter hors de cette chambre.

On l'entend laver le linge. Elle l'accroche au soleil. Et revient avec un balai. Elle nettoie le kilim, les matelas…

Elle n'a pas encore terminé sa tâche que quelqu'un frappe à la porte. Dans une nuée de poussière, elle s'avance vers la fenêtre. « Qui est-ce ? » Encore la silhouette muette du garçon enveloppée dans son *patou*. Les bras de la femme retombent avec lassitude le long de son corps. « Qu'est-ce que tu veux encore ? » Le garçon lui tend quelques billets. La femme reste immobile. Sans un mot. Le garçon se dirige vers le couloir. La femme le rejoint. Ils se susurrent des mots imperceptibles et s'esquivent dans l'une des chambres.

On n'entend d'abord que le silence, puis peu à peu des chuchotements… et enfin quelques gémissements étouffés. De nouveau le silence. Un certain temps. Puis une porte qui s'ouvre. Des pas qui se précipitent au-dehors.

La femme, elle, se rend dans la salle d'eau, se lave et revient timidement dans la chambre. Elle achève son ménage, puis repart.

Ses pas résonnent sur les dalles de la cuisine d'où monte petit à petit la rumeur du gaz qui répand sa nappe sonore sur la maison.

Après avoir préparé son déjeuner, elle vient le prendre dans la chambre, à même la poêle.

Elle est calme et douce.

Après la première bouchée, « il me fait pitié, ce garçon ! » dit-elle, de but en blanc, « mais ce n'est pas la raison pour laquelle je le reçois… D'ailleurs, aujourd'hui je l'ai blessé et j'ai failli le faire partir, le pauvre ! J'ai eu un fou rire. Il a cru que je me moquais de lui… bien sûr que c'était un peu ça… mais c'était à cause de cette satanée tante ! Elle m'a dit hier soir une chose horrible. Je lui ai parlé de ce garçon qui bégayait, et qui finissait vite. Alors… », elle rit, un rire très intérieur, sans bruit, « alors elle m'a dit qu'il fallait lui conseiller... » Le rire, bruyant cette fois-ci, l'interrompt de nouveau. Elle reprend : « ...lui conseiller de baiser avec la langue et de parler avec la queue ! » s'esclaffe-t-elle, essuyant ses larmes, « c'était horrible de penser à ça à ce moment-là... Mais que faire ?! Dès qu'il a commencé à bégayer... cette phrase m'a traversé l'esprit. Et j'ai ri. Lui, il a paniqué... j'ai essayé de me retenir... Mais c'était impossible. Ça empirait... heureusement... », un temps, « ou malheureusement, d'un seul coup, ma pensée est partie ailleurs... », encore un temps, « j'ai pensé à toi... et le rire s'est subitement arrêté. Sinon, ça aurait pu être terrible... il ne faut pas blesser les jeunes... il ne faut pas se moquer de leur machin... car ils lient leur virilité à leur queue qui bande, à sa longueur, à la durée de leur éjaculation, mais... ». Elle laisse de côté sa pensée. Elle a les joues toutes rouges. Elle respire profondément. « Bon, c'est passé... j'ai quand même frôlé la catastrophe... une de plus. »

Elle finit son déjeuner.

Après avoir remporté la poêle dans la cuisine, elle revient s'allonger sur le matelas. Cache ses yeux dans le creux de son bras, et laisse couler un long moment de silence, chargé de réflexion, pour avouer à nouveau : « Eh oui, ce garçon, il m'a fait encore penser à toi. Je peux confirmer une fois de plus qu'il est aussi maladroit que toi. Sauf que lui, il en est à ses débuts, et il apprend vite ! Mais toi, tu n'as jamais changé. À lui je peux dire quoi faire, comment faire. Si je t'avais demandé tout cela... mon Dieu ! j'aurais eu la gueule défoncée ! Pourtant ce sont des choses évidentes... il suffit d'écouter son corps. Mais toi, tu ne l'as jamais écouté. Vous n'écoutez que votre âme. » Elle se redresse et s'adresse violemment au rideau vert : « Voilà où t'a amené ton âme ! Un cadavre vivant ! » Elle s'approche de la cachette : « C'est ta maudite âme qui te cloue à terre, ma *syngué sabour* ! », reprend son souffle, « et ce n'est pas ton âme à la con qui, aujourd'hui, me protège. Ce n'est pas elle qui nourrit les enfants. » Elle écarte le rideau. « Tu sais comment est ton âme en ce moment ? Où elle est ? Elle est là, suspendue juste au-dessus de toi. » Elle fait un signe vers la poche de perfusion. « Oui, elle est là, dans ce liquide sucré-salé, et nulle part ailleurs. » Elle gonfle sa poitrine : « *C'est mon âme qui me donne mon honneur, c'est mon honneur qui protège mon âme.* Foutaise ! Tiens, voilà ton honneur baisé par un jeune de seize ans ! Voilà ton honneur qui baise ton âme ! » D'un geste sec, elle lui prend la main, la soulève et lui dit : « Maintenant, c'est ton corps qui te juge. Il juge ton âme. C'est pourquoi tu ne souffres pas dans ton corps. Parce que tu souffres dans ton âme. Cette âme suspendue qui voit tout, qui entend tout, et qui ne peut rien faire, qui ne contrôle plus ton corps. » Elle lâche sa main qui retombe raide sur le matelas. Un rire étouffé la pousse vers le mur. Elle se retient. « Ton honneur n'est plus qu'un morceau de viande ! Toi-même tu employais ce mot. Pour me demander de me couvrir, tu criais : *Cache ta viande !* En effet, je n'étais qu'un morceau de viande où tu enfonçais ta sale bite. Rien que pour la déchirer, la faire saigner ! » Essoufflée, elle se tait.

Puis soudain elle se relève. Sort de la chambre. On l'entend dans le couloir faire les cent pas et dire : « Mais qu'est-ce qui me prend encore ? Qu'est-ce que je dis ? Pourquoi ? Pourquoi ? Ce n'est pas normal, non, ce n'est pas normal... » Elle rentre. « Ce n'est pas moi. Non, ce n'est pas moi qui parle... C'est quelqu'un d'autre qui parle à ma place... avec ma langue. Il est entré dans mon corps... Je suis possédée. J'ai vraiment une démone en moi. C'est elle qui parle. C'est elle qui fait l'amour avec ce garçon... c'est elle qui prend sa main tremblante et la met sur mes seins... sur mon ventre, entre mes cuisses… tout ça, c'est elle ! Ce n'est pas moi ! Il faut que je la chasse hors de moi ! Je dois voir le sage *Hakim*, ou le mollah, pour tout leur avouer. Qu'ils chassent cette démone tapie en moi !… Mon père avait raison. C'est ce chat qui est venu me hanter. C'est ce chat qui m'a poussée à ouvrir la cage de la caille. Je suis possédée, et ça depuis longtemps ! » Elle se jette dans la cachette de l'homme et pleure. « Ce n'est pas moi qui parle !… Je suis en proie aux forces de la démone… ce n'est pas moi… où est le Coran ? » Paniquée. « Elle a même volé le Coran, la démone ! C'est son œuvre !… oui, c'est elle, elle a volé aussi la plume, la maudite plume ! »

Elle fouille sous les matelas. Elle retrouve son chapelet noir. « Allah, tu es le seul qui peut éloigner la démone : *Al-Mou'akhir, Al-Mou'akhir*… » Elle égrène le chapelet, « *Al-Mou'akhir*… », ramasse son voile, « *Al-Mou'akhir*… », quitte la chambre, « *Al-Mou'akhir*… », sort de la maison, « *Al-Mou'akhir*… ».

On ne l'entend plus.

Elle ne revient pas.

À la tombée du crépuscule, quelqu'un entre dans la cour et frappe à la porte d'entrée du couloir.

Personne ne lui répond, personne ne lui ouvre. Mais, cette fois, l'intrus semble rester dans le jardin. Des craquements de bois, des bruits de pierres qui s'entrechoquent envahissent les murs de la maison. Il est peut-être en train de voler. Ou de détruire. Ou de construire. La femme le saura demain, lorsqu'elle rentrera avec les rayons du soleil qui pénétreront dans les trous du ciel jaune et bleu du rideau.

La nuit tombe.
Le jardin s'éteint. L'intrus s'en va.

Le jour se lève. La femme revient.
Toute pâle, elle ouvre la porte de la chambre et s'arrête un moment pour repérer les moindres traces d'un passage. Aucune. Désemparée, elle entre dans la pièce et vient jusqu'au rideau vert. Doucement elle l'écarte. L'homme est toujours là. Les yeux ouverts. Le souffle au même rythme. La poche de perfusion est à moitié vide. Les gouttes coulent, comme avant, à la même cadence que le souffle, ou que les grains du chapelet noir entre les doigts de la femme.

Elle se laisse tomber sur le matelas. « Quelqu'un a réparé la porte sur rue ? » Une question aux murs. Une attente vaine. Comme toujours.

Elle se lève, quitte la chambre et, toujours aussi désemparée, examine les autres pièces, le sous-sol. Remonte. Rentre. Abasourdie. « Mais personne n'est passé ! » Prise d'une lassitude grandissante, elle s'affaisse sur le matelas.

Plus aucun mot.

Plus aucun autre geste que celui d'égrener le chapelet. Trois tours. Deux cent soixante-dix grains. Deux cent soixante-dix souffles. Et sans aucun des noms de Dieu.

Avant d'entamer un quatrième tour, soudain, elle reprend : « Ce matin, mon père est encore venu me voir… mais cette fois-ci pour m'accuser d'avoir volé la plume de paon qui lui servait de marque-page pour son Coran. J'en ai été effarée. Il était furieux. J'ai eu peur. » Cette peur, on l'aperçoit même maintenant dans son regard qui se réfugie dans les coins de la chambre. « Mais, il y a bien longtemps… » Son corps se balance. Sa voix se décide. « Il y a bien longtemps que je l'ai volée. » Violemment, elle se lève. « Je délire ! » se murmure-t-elle, d'abord calmement, puis très vite, nerveusement : « Je délire. Il faut que je me calme. Il faut que je me taise. » Elle n'arrive pas à tenir en place. Sans cesse elle bouge, se mord le pouce. Son regard s'éparpille. « Oui, cette putain d'histoire de plume… c'est ça. C'est elle qui me rend folle. Cette foutue plume de paon ! À l'origine, ce n'était qu'un rêve. C'est ça, un rêve, mais très particulier. Ce rêve me venait et revenait chaque nuit lorsque j'étais enceinte de ma première fille… toutes les nuits, je faisais le même cauchemar : je me voyais en train d'accoucher d'un garçon. Un garçon qui avait des dents et qui pouvait déjà parler… Il avait les traits de mon grand-père… ce rêve me torturait, me terrorisait… L'enfant, il me disait qu'il connaissait l'un de mes grands secrets. » Elle s'arrête de bouger. « Oui, l'un de mes grands secrets ! Et si je ne lui donnais pas ce qu'il voulait, il dévoilerait mon secret à tout le monde. La première nuit, il me demanda mes seins. Vu ses dents, je ne voulais pas les lui donner… alors il s'est mis à hurler. » De ses mains tremblantes, elle couvre ses oreilles. « J'entends encore, même aujourd'hui, ses hurlements. Et il a commencé à dévoiler le début de mon secret. J'ai fini par céder. Je lui ai offert mes seins. Il tétait et les mordait avec ses dents… je criais… je pleurais dans mon sommeil… »

Elle reste devant la fenêtre, le dos tourné à son homme. « Tu dois t'en souvenir. Car cette nuit-là tu m'as chassée encore une fois du lit. J'ai passé la nuit dans la cuisine. » Elle s'assied au pied du rideau aux motifs d'oiseaux migrateurs. « Une autre nuit, j'ai encore rêvé de cet enfant... cette fois-ci, il me demandait de lui apporter la plume de paon de mon père... mais... » Quelqu'un frappe à la porte. La femme, sortant de ses rêves, de ses secrets, se lève pour soulever le rideau. C'est encore le jeune garçon. La femme lui dit fermement : « Non, pas aujourd'hui ! Je suis... » Le garçon l'interrompt avec ses mots hachés : « Jjj'ai ré... réparé la... la porte. » Le corps de la femme se détend. « Ah c'était donc toi ! merci. » Le garçon attend qu'elle l'invite à l'intérieur. Elle ne dit rien. « Je... je peux... » La femme, lasse : « Je t'ai dit, pas aujourd'hui... » Le garçon s'approche. « Pppas pppour... » La femme fait non de la tête et ajoute : « J'attends quelqu'un d'autre... » Le garçon s'approche encore d'un pas. « Jjje ne... ne veux pas... » La femme, impatiente, le coupe : « Tu es gentil, mais moi, tu sais, je dois travailler... » Le garçon fait beaucoup d'efforts pour parler vite, mais son bégaiement s'amplifie : « Pppas de... de tttra... vail ! » Il abandonne. Recule et s'assoit au pied du mur pour bouder comme un jeune enfant contrarié. Désemparée, la femme sort pour le rejoindre devant la porte d'entrée du couloir.

« Écoute ! viens cet après-midi, ou demain… mais pas là… » L'autre, plus calme, insiste : « Jjje veux te… te par… ler… » La femme cède, enfin.

Ils entrent et se réfugient dans une des chambres.

Leurs chuchotements sont les seules voix qui résonnent et soulignent cette ambiance maussade dans laquelle sont engloutis la maison, le jardin, la rue et même la ville…

Un moment, le chuchotement cesse et un long silence s'installe. Puis soudain le claquement violent d'une porte. Le sanglot du garçon qui parcourt le couloir, puis la cour pour disparaître enfin dans la rue. Et les pas furieux de la femme qui entre dans la chambre en hurlant : « Fils de pute ! Bâtard ! » Elle arpente la pièce plusieurs fois avant de s'asseoir. Toute pâle. En rage, elle continue : « Quand je pense que ce fils de chienne a osé me cracher au visage lorsque je lui ai dit que j'étais une pute ! » Elle se redresse. Corps et voix emplis de haine. Elle s'avance vers le rideau vert : « Tu sais, ce type qui est venu l'autre jour avec ce pauvre garçon, et qui m'a traitée de tous les noms, eh bien, lui-même, tu sais ce qu'il fait ? » Elle s'agenouille devant le rideau : « Il garde ce pauvre petit garçon pour ses propres plaisirs ! Il l'a enlevé quand il était encore tout jeune. C'était un orphelin abandonné à lui-même dans les rues. Il l'a élevé pour lui mettre dans les mains une Kalachnikov, et le soir des clochettes aux pieds. Il le fait danser. Fils de pute ! » Elle se retire au pied du mur. Respire quelques bouffées profondes de cet air lourd aux exhalaisons de poudre et de fumée. « Le garçon a un corps complètement meurtri ! Il a des traces de brûlure partout, sur les cuisses, sur les fesses… c'est affreux ! Le type lui brûle le corps avec le canon de son fusil ! » Ses larmes dévalent sur ses joues, dégoulinent le long des fossettes qui entourent ses lèvres lorsqu'elle pleure, et ruissellent sur son menton pour glisser sur son cou et finir sur sa poitrine, d'où sortent ses cris : « Les minables ! les misérables ! »

Elle sort.
Sans rien dire.
Sans rien regarder.
Sans rien toucher.

Elle ne revient que le lendemain.

Rien de nouveau.
L'homme – son homme – respire toujours.
Elle lui met une nouvelle perfusion.

Elle lui instille les gouttes de collyre : une, deux ; une, deux.

Et c'est tout.

Elle s'assied en tailleur sur le matelas. D'un sac en plastique elle sort une étoffe, deux petites chemises, un trousseau de couture dans lequel elle cherche une paire de ciseaux. Elle coupe des morceaux dans l'étoffe pour rapiécer les chemises.

De temps à autre, elle jette des regards furtifs vers le rideau vert, mais le plus souvent ses yeux se tournent avec anxiété vers le rideau aux motifs d'oiseaux migrateurs, écarté juste un peu pour laisser entrevoir la cour. Le moindre bruit l'interrompt. Elle redresse la tête pour surveiller si quelqu'un entre ou non.

Et non, personne ne vient.

Comme tous les jours à midi, le mollah fait son appel à la prière. Aujourd'hui, il prêche la révélation : « *Lis ! Au nom de ton Seigneur qui a créé, a créé l'Homme à partir d'un embryon. Lis ! Et ton Seigneur est celui qui est d'une bonté universelle, qui a enseigné par la plume, qui a enseigné à l'Homme ce qu'il ne savait pas.* Mes frères, ce sont les premiers versets du Coran, la première révélation faite au prophète par l'ange Gabriel... » La femme s'arrête et tend l'oreille pour écouter la suite : « ... au moment où l'envoyé d'Allah s'est retiré pour méditer et prier dans la grotte de la Recherche, au fond de la montagne de la Lumière, notre prophète ne savait ni lire ni écrire. Mais grâce à ces versets, il a tout appris ! Notre Dieu à propos de son messager dit ceci : *Il a envoyé sur toi le Livre avec la Vérité comme confirmation de ce qui lui a été révélé. Et Il a auparavant envoyé la Torah et l'Évangile comme guide pour les hommes...* » La femme se remet à coudre. Le mollah continue : « *Muhammad n'est rien d'autre qu'un envoyé qui a été précédé par d'autres envoyés...* » La femme cesse de nouveau son rapiéçage, et se concentre sur la parole coranique : « Muhammad, notre prophète, dit ceci : *Je n'ai pas le pouvoir d'être utile ou nuisible à moi-même, à moins qu'Allah le veuille. Et si j'avais eu connaissance de ce qui est caché, en vérité j'aurais pu m'assurer de la plénitude du bien, et le mal n'aurait pu m'atteindre...* » La femme n'entend plus la suite. Son regard s'insinue dans les plis des chemises. Après un long moment, elle relève la tête et parle d'une voix songeuse : « Ces paroles, je les ai déjà entendues par ton père. Il me racontait toujours ce passage qui l'amusait énormément. Ses yeux brillaient malicieusement. Sa barbe tremblait.

Et sa voix envahissait la petite chambre humide. Il disait ceci : *Un jour, après la méditation, Muhammad, paix sur lui, quitte la montagne, et vient auprès de son épouse Khadidja pour lui dire : "Khadidja, je vais devenir fou." Sa femme lui demande : "Mais pourquoi?" Il lui répond : "Parce que je remarque en moi les signes des possédés. Quand je marche dans les rues, j'entends des voix qui sortent de chaque pierre, de chaque mur. Et la nuit, je vois un être gigantesque qui se présente à moi. Il est grand. Très grand. Sa tête touche le ciel et ses pieds touchent la terre. Je ne le connais pas. Et à chaque fois il s'approche de moi comme pour me saisir." Khadidja le console, lui demande de la prévenir à la prochaine apparition. Un jour, se retrouvant dans la maison avec Khadidja, Muhammad crie : "Khadidja, cet être m'apparaît. Je le vois!" Khadîdja s'approche de lui, s'assoit, le prend sur son sein et lui demande : "Le vois-tu encore ?" Muhammad dit : "Oui, je le vois encore." Khadîdja alors découvre sa tête et ses cheveux et lui demande encore : "Le vois-tu maintenant?" Muhammad répond : "Non, Khadidja, je ne le vois plus." Alors son épouse lui dit : "Réjouis-toi, Muhammad, ce n'est pas un djinn géant, un diw, c'est un ange. Si c'était un diw, il n'aurait pas montré le moindre respect pour ma chevelure et n'aurait pas alors disparu."* Et, à cette histoire, ton père ajoutait que c'était là la mission de Khadidja : révéler à Muhammad le sens de sa prophétie, le désenvoûter, l'arracher à l'illusion des apparences et des simulacres sataniques... Elle aurait dû être, elle-même, la messagère, le Prophète. »

Elle s'arrête et plonge dans un long silence méditatif, tout en reprenant lentement le rapiéçage des petites chemises.

Elle ne sort de son silence qu'avec un cri aigu lorsqu'elle se pique le doigt avec l'aiguille. Elle suce le sang et se remet à coudre. « Ce matin... mon père est encore revenu dans ma chambre. Il avait sous le bras le Coran, le mien, celui-là même qui était ici... oui, c'est lui qui l'avait pris... alors il est venu me demander la plume de paon. Car elle n'était plus à l'intérieur du Coran. Il a dit que c'était ce garçon – que je reçois ici, chez moi – qui avait volé la plume. Il faut absolument que je le lui demande s'il vient. » Elle se lève, va vers la fenêtre. « J'espère qu'il viendra. »

Elle sort de la maison. Ses pas traversent la cour, s'arrêtent derrière la porte qui donne sur la rue. Elle doit sans doute jeter un coup d'œil dans la rue. Rien. Le silence. Personne, pas même l'ombre d'un passant. Elle s'en retourne. Elle attend dehors, devant la fenêtre. Sa silhouette se profile sur les oiseaux migrateurs figés dans leur élan sur le ciel jaune et bleu.

Le soleil décline.

La femme doit retourner auprès de ses enfants.

Avant de quitter la maison, elle s'arrête dans la chambre pour exécuter ses tâches habituelles.

Puis elle part.

Cette nuit, on ne tire pas.

Sous la lumière fade et froide de la lune, les chiens errants aboient dans tous les coins de la ville. Jusqu'à l'aurore.

Ils ont faim.

Ce soir il n'y a pas de cadavres.

Au point du jour, quelqu'un frappe à la porte sur la rue, puis l'ouvre et entre dans la cour. Se dirige directement jusqu'à la porte d'entrée du couloir. Dépose quelque chose à terre et repart.

Lorsque la dernière goutte de la perfusion tombe dans le stilligoutte et ruisselle dans le tube pour pénétrer dans les veines de l'homme, la femme revient.

L'air plus fatiguée que jamais, elle entre dans la chambre. Les yeux sombres, voilés. Le teint pâle, brouillé. Les lèvres moins charnues, livides. Elle jette son voile dans un coin et s'avance avec à la main un baluchon rouge et blanc aux motifs de fleurs de pommier. Elle examine l'état de son homme. Elle lui parle, comme toujours : « Quelqu'un est encore passé et a déposé ce baluchon devant la porte. » Elle l'ouvre. Il y a des graines de blé grillées, deux grenades bien mûres, deux morceaux de fromage, et, dans un papier, une chaîne en or. « C'est lui, le garçon ! » Un contentement passager s'esquisse sur son visage triste. « J'aurais dû me hâter. J'espère qu'il va repasser. »

En changeant le drap de l'homme : « Il va passer... car avant de se rendre ici, il est venu me voir chez ma tante... pendant que j'étais au lit. Il est venu doucement, sans faire de bruit. Il était vêtu tout de blanc. Il avait un air très pur. Innocent. Il ne bégayait plus. Il est venu juste pour m'expliquer pourquoi cette putain de plume de paon était si importante pour mon père. Il m'a révélé que c'était la plume de ce paon... qui avait été chassé avec Ève du paradis. Et il est reparti. Il ne m'a même pas laissé le temps de lui poser une question. » Elle change la poche de perfusion, règle l'intervalle entre les gouttes, et s'assoit près de son homme. « J'espère que tu ne m'en veux pas si je te parle de lui et le reçois ici dans la maison. Je ne sais pas ce qui se passe, mais il est très, comment dire ?… il est très présent en moi. J'éprouve presque le sentiment que j'avais jadis vis-à-vis de toi, au début de notre mariage. Je ne sais pas pourquoi ! Même si je sais que lui aussi peut devenir affreux comme toi. J'en suis sûre et certaine. Dès que vous possédez une femme, vous devenez aussitôt des monstres. » Elle allonge les jambes. « Si jamais tu reviens à la vie, si tu te mets debout, est-ce que tu seras encore ce monstre que tu étais ? » Une pause, sa pensée suit son cours. « Je ne crois pas. Je me dis que peut-être tout ce que je te raconte peut te changer. Tu m'entends, tu m'écoutes, tu médites. Tu réfléchis… » Elle s'approche de lui. « Oui, tu changeras, tu m'aimeras. Tu me feras l'amour comme je le désire. Car tu as découvert maintenant beaucoup de choses. Sur moi, sur toi. Tu connais mes secrets. Tu es désormais possédé par ces secrets. » Elle lui embrasse le cou. « Tu respecteras mes secrets. Et moi, je respecterai ton corps. » Elle glisse sa main entre les jambes de l'homme et lui caresse le sexe. « Je ne l'avais jamais touchée comme ça... ta caille! » Elle rit. « Est-ce que tu peux...? » Elle met sa main à l'intérieur du pantalon de l'homme. Son autre main se perd entre ses propres cuisses. Ses lèvres effleurent la barbe, frôlent la bouche entrouverte. Leurs souffles se fondent, se confondent. « J'en rêvais... toujours. En me touchant, j'imaginais ta queue entre mes mains. » Peu à peu l'intervalle entre ses souffles se contracte, leur rythme s'accélère, dépasse la cadence des souffles de l'homme. La main entre les jambes, elle se caresse doucement, puis vivement, intensément... Sa respiration devient de plus en plus saccadée. Haletante. Courte. Sifflante.

Un cri.

Des gémissements.

De nouveau, le silence.

De nouveau, l'immobilité.

Que des souffles.

Longs.

Et lents.

Quelques souffles plus tard.

Un soupir étouffé rompt soudain ce mutisme. La femme dit à l'homme : « Pardon! », et bouge doucement. Sans le regarder, elle se détache de lui et se retire de la cachette pour se mettre à l'angle du mur. Elle garde les yeux fermés. Ses lèvres tremblent encore. Elle geint. Peu à peu des mots émergent : « Qu'est-ce qui me prend encore ? » Sa tête va cogner le mur. « Je suis vraiment possédée... oui, je vois les morts... les invisibles... je suis... » De sa poche, elle sort le chapelet noir. « Allah... que fais-tu avec moi ? » Son corps se balance d'avant en arrière, lentement, régulièrement. « Allah, aide-moi à retrouver la foi ! Désenvoûte-moi ! Arrache-moi à l'illusion des apparences et des simulacres sataniques ! Comme tu l'as fait avec Muhammad ! » Elle se lève brusquement. Fait le tour de la chambre. Va dans le couloir. Sa voix envahit la maison. « Oui... il n'était qu'un envoyé parmi d'autres... il y en avait plus de cent mille comme lui, avant lui... celui qui révèle quelque chose peut être comme lui... moi, je me révèle... j'en suis une... » Ses mots se mêlent au bruissement de l'eau. Elle se lave.

Elle revient. Belle dans sa robe pourpre ornée de quelques motifs discrets d'épis et fleurs de blé dans le bas et au bout des manches.

Elle vient reprendre sa place auprès de la cachette. Calme et sereine, elle commence : « Je ne suis pas allée voir le sage *Hakim*, ni le mollah. Ma tante me l'a interdit. Elle affirme que je ne suis ni folle ni possédée. Que je ne suis pas habitée par une démone. Que ce que je dis, ce que je fais, c'est la voix d'en haut qui me le dicte, que c'est elle qui me guide. Cette voix qui émerge de ma gorge, c'est la voix enfouie depuis des milliers d'années. »

Elle ferme les yeux et, trois souffles après, les rouvre. Sans tourner la tête, elle balaye du regard la pièce, comme si elle venait juste de découvrir cet endroit. « J'attends que vienne mon père. Il faut que je vous raconte à vous tous et une fois pour toutes l'histoire de la plume de paon. » Sa voix perd de sa douceur. « Mais d'abord, il faut que je la récupère... oui, c'est avec cette plume que je vais écrire le récit de toutes ces voix qui jaillissent en moi et qui me révèlent ! » Elle devient nerveuse. « C'est cette putain de plume de paon ! Mais où est-il, ce garçon ? Qu'est-ce que j'en ai à foutre, de ses grenades ?! de cette chaîne ? La plume ! j'ai besoin de la plume ! » Elle se lève. Ses yeux brillent. Telle une folle. Elle fuit hors de la pièce. Fouille la maison. Revient. Cheveux défaits. Poussiéreux. Elle se jette sur le matelas en face de la photo de son homme. Elle reprend le chapelet noir et se met à l'égrener.

Soudain, elle hurle : « *Al-Jabar*, c'est moi ! »

Elle murmure : « *Al-Rahim*, c'est moi... »

Elle se tait.

Son regard redevient lucide. Son souffle reprend le rythme de celui de l'homme. Elle s'allonge. Face au mur.

D'une voix douce, elle reprend : « Cette plume de paon me hante. » Avec ses ongles, elle enlève quelques écailles de peinture qui se décollent du mur. « Elle m'a hantée dès le début, dès le moment où j'ai fait ce cauchemar. Ce cauchemar dont je t'ai parlé l'autre jour : cet enfant qui me harcelait dans mon rêve, qui disait qu'il connaissait mon grand secret... À cause de ce rêve, je ne voulais plus dormir. Mais petit à petit ce rêve s'est insinué jusque dans le temps où j'étais éveillée... j'entendais la voix de l'enfant dans mon ventre. Tout le temps. Partout. Dans le hammam, dans la cuisine, dans la rue... Il me parlait, l'enfant. Il me harcelait. Il exigeait la plume... » Elle lèche le bout de ses ongles teintés de cyan par les résidus de peinture. « Tout ce que je souhaitais dans ces moments-là, c'était de le faire taire. Mais comment ? Je priais pour faire une fausse couche. Pour perdre ce maudit enfant, une fois pour toutes ! Vous tous, vous avez cru que j'étais atteinte de cette obsession qu'ont la plupart des femmes enceintes. Mais non. Ce que je vais te dire, c'est la vérité… ce que l'enfant disait, c'était la vérité… ce qu'il savait, c'était la vérité. Cet enfant connaissait mon secret. Lui-même était mon secret. Ma vérité secrète ! J'avais donc décidé de l'étrangler juste au moment de l'accouchement, entre mes jambes. C'était pourquoi je n'essayais pas de pousser. Si on ne m'avait pas assommée avec de l'opium, l'enfant aurait été étouffé dans mon ventre. Mais l'enfant est né. Lorsque j'ai retrouvé mes esprits, et j'ai vu que ce n'était pas un garçon – comme c'était dans mon rêve –, mais une fille, quel soulagement ! Je me suis dit qu'une fille ne me trahirait jamais. Je sais que tu en meurs, de savoir mon secret. » Elle se retourne. Lève la tête en direction du rideau vert et rampe comme un serpent vers l'homme. Arrivée à ses pieds, elle cherche son regard perdu : « Parce que cette enfant n'était pas de toi ! » Elle se tait, impatiente de voir son homme craquer enfin ! Comme toujours, pas de réaction,

aucune. Elle s'enhardit alors jusqu'à lui annoncer :
« Oui, ma *syngué sabour*, ces deux filles ne sont pas
les tiennes ! » Elle se redresse. « Et tu sais
pourquoi ? Parce que c'était toi qui étais stérile.
Pas moi ! » Elle s'assoit contre le mur, juste à
l'angle de la cachette, face dirigée vers la porte,
comme celle de l'homme. « Tout le monde croyait
que c'était moi qui étais stérile. Ta mère voulait
que tu te maries avec une autre. Et qu'est-ce que
je devenais, moi ? Je serais devenue comme ma
tante. C'est exactement à ce moment-là que je suis
tombée sur elle miraculeusement. Elle m'a été
envoyée par Dieu pour me révéler le chemin. » Ses
yeux sont fermés. Un sourire plein de secrets tire
le coin de ses lèvres. « Alors j'ai raconté à ta mère
qu'il y avait un grand *Hakim* qui réalisait des
miracles pour ce genre de problème. Tu connais
l'histoire… mais pas la vérité ! Bref, on est allées
ensemble pour le rencontrer et obtenir ses talismans. Je m'en souviens comme si c'était hier. Sur
le chemin, tout ce que j'ai pu entendre de la
bouche de ta mère ! Elle m'a traitée de tous les
noms. Elle vociférait en répétant que c'était ma
dernière chance ! Elle en a dépensé, de l'argent, ce
jour-là ! Après, je me suis rendue plusieurs fois
chez le sage *Hakim* jusqu'à ce que je tombe

enceinte. Comme par enchantement! Tu sais, en réalité, ce *Hakim* n'était que le maquereau de ma tante. Il m'a accouplée avec un type à qui on avait bandé les yeux. On nous enfermait dans le noir absolu. Lui, il n'avait pas droit de me parler ni de me toucher... D'ailleurs, nous n'avons jamais été nus. Nous baissions seulement nos pantalons, c'était tout. Il devait être jeune. Très jeune et fort. Mais sans expérience, apparemment. C'était à moi de le toucher, à moi de décider à quel moment il devait me pénétrer. Je devais tout lui apprendre, à lui aussi!... C'est beau de dominer le corps de l'autre, mais, le premier jour, ça a été horrible. Tous les deux nous étions mal à l'aise, terrorisés. Je ne voulais pas qu'il me prenne pour une pute, alors je me raidissais. Et lui, intimidé, apeuré, n'y arrivait pas, le pauvre! Rien ne s'est passé. Loin l'un de l'autre, nous n'entendions que nos souffles saccadés. J'ai craqué. J'ai hurlé. On m'a sortie de la chambre... j'ai vomi toute la journée! Je voulais y renoncer. Mais c'était trop tard. Les séances suivantes sont allées de mieux en mieux. Pourtant, chaque fois après, je pleurais. Je me sentais coupable... je haïssais le monde, je vous maudissais, toi et ta famille! Et pour comble de souffrance, les nuits je devais coucher avec toi! Dans tout ça, ce qui était risible, c'est qu'après que je suis tombée enceinte, ta mère, elle allait tout le temps voir le *Hakim* afin de se procurer des talismans pour mille autres raisons. » Un rire sourd sort de sa poitrine. « Oh, ma *syngué sabour*, quand c'est dur d'être femme, ça devient dur aussi d'être homme ! » Un long soupir s'arrache de son corps. Elle replonge dans ses pensées. Ses yeux, sombres, chavirent. Ses lèvres, de plus en plus exsangues, s'animent, marmonnent quelque chose comme une prière. Et soudain elle commence à parler avec une voix étrangement solennelle : « Si toute religion est une histoire de révélation, la révélation d'une vérité, alors, ma *syngué sabour*, notre histoire à nous, elle aussi est une religion. Notre religion à nous ! » Elle marche. « Oui, le corps est notre révélation. » Elle s'arrête. « Nos corps à nous, leurs secrets, leurs blessures, leurs souffrances, leurs plaisirs… » Elle se rue vers l'homme, tout illuminée, comme si elle avait dans ses mains la vérité et elle l'offrait à l'homme : « Mais oui, ma *syngué sabour*… tu sais quel est le quatre-vingt-dix-neuvième, c'est-à-dire le dernier nom de Dieu ? C'est *Al-Sabour*, le Patient ! Regarde-toi, tu es Dieu. Tu existes, et tu ne bouges pas. Tu entends, et tu ne parles pas. Tu vois, et tu n'es pas visible ! Comme Dieu, tu es patient,

paralytique. Et moi, je suis ta Messagère ! Ton Prophète ! Je suis ta voix ! Je suis ton regard ! Je suis tes
mains ! Je te révèle ! *Al-Sabour !* » Elle écarte complètement le rideau vert. Et, d'un seul geste, elle se
tourne, ouvre ses bras comme si elle s'adressait à
un public, et s'écrie : « Voilà la Révélation : *Al-
Sabour !* » Sa main désigne l'homme, son homme au
regard absent, face à une création absente.

Elle est emportée par cette révélation. Hors
d'elle, elle s'avance d'un pas pour reprendre son
discours, mais une main, derrière elle, l'attrape par
le poignet. Elle se retourne. C'est l'homme, son
homme, qui la tient. Elle reste inerte. Foudroyée.
Bouche grande ouverte. Les mots suspendus. Il se
dresse brusquement, telle une roche, raide et
sèche, que l'on soulève d'un seul coup.

« C'est... c'est un miracle ! C'est la Résurrec-
tion ! » fait-elle d'une voix étranglée par la terreur,
« je savais que mes secrets te ramèneraient à la vie,
à moi... je le savais... ». L'homme l'attire à lui,
attrape ses cheveux et envoie sa tête cogner contre
le mur. Elle tombe. Elle ne crie ni ne pleure. « Ça y
est... tu éclates ! » Son regard, halluciné, traverse
ses mèches en désordre. Sa voix ricane : « Ma *syngué sabour* éclate ! », puis elle crie : « *Al-Sabour !* »,
ferme les yeux, « merci, *Al-Sabour !* Je suis enfin

délivrée de mes souffrances », et enlace les pieds de l'homme.

Lui, visage terne et hâve, agrippe à nouveau la femme, la soulève et la projette contre le mur où le kandjar et la photo sont accrochés. Il s'approche d'elle, la saisit encore, la hisse contre le mur. La femme le regarde avec exaltation. Sa tête touche le kandjar. Sa main l'attrape. Elle hurle et l'enfonce dans le cœur de l'homme. Pas une goutte de sang ne jaillit.

Lui, toujours raide et froid, agrippe la femme par les cheveux, la traîne à terre jusqu'au milieu de la pièce. Il frappe encore sa tête contre le sol puis, d'un mouvement sec, il lui tord le cou.

La femme expire.
L'homme inspire.

La femme ferme les yeux.
L'homme demeure les yeux égarés.

Quelqu'un frappe à la porte.

L'homme, le kandjar fiché dans le cœur, va s'allonger sur son matelas au pied du mur, face à sa photo.

La femme est écarlate. Écarlate de son propre sang.

Quelqu'un entre dans la maison.

La femme rouvre doucement les yeux.
Le vent se lève et fait voler les oiseaux migrateurs au-dessus de son corps.

Remerciements à

Paul Otchakovsky-Laurens
Christiane Thiollier
Emmanuelle Dunoyer
Marianne Denicourt
Laurent Maréchaux
Soraya Nouri
Sabrina Nouri
Rahima Katil

pour leur soutien
et leur regard poétique

Achevé d'imprimer en novembre 2008
dans les ateliers de la Nouvelle Imprimerie Laballery
à Clamecy (Nièvre)
N° d'éditeur : 2056 – N° d'édition : 165986
N° d'imprimeur : 811053
Dépôt légal : novembre 2008
Premier dépôt légal : mai 2008

Imprimé en France

La Nouvelle Imprimerie Laballery est titulaire
de la marque Imprim'Vert